초등학생을 위한
표준 한국어

저학년
의사소통 2

초등학생을 위한
표준 한국어

국립국어원 기획 | 이병규 외 집필

저학년
의사소통 2

마리북

발간사

다문화가정 학생 수는 매년 증가하여 2018년 12만여 명에 이릅니다. 그런데 중도입국자녀나 외국인 가정 자녀와 같은 다문화 학생들은 학령기 학생에게 기대되는 한국어 능력 수준에 이르지 못하는 경우가 많습니다. 이는 다문화 학생이 교과 학습 능력을 갖추지 못하거나 또래 집단 문화에 적응하지 못하는 결과로 이어지고, 결국 한국 사회에 안정적으로 정착하는 데 어려움을 겪는 주요한 원인이 됩니다. 따라서 다문화 학생을 위한 교육 지원은 보다 전문적이고 체계적으로 이루어져야 합니다.

학령기 한국어 학습자를 위한 정부 지원은 교육부에서 2012년에 '한국어 교육과정'을 개발하여 고시하였고, 국립국어원에서 교육과정을 반영한 학교급별 교재를 개발하면서 본격적으로 이루어졌습니다. 그 후 '한국어 교육과정'이 개정·고시(교육부 고시 제2017-131호)되었습니다. 이에 국립국어원에서는 2017년부터 개정된 교육과정에 따라 한국어 교재를 개발하고 있으며, 그 첫 번째 결과물로 초등학교 교재 11권, 중고등학교 교재 6권을 출판하게 되었습니다. 교사용 지도서는 별도로 출판은 하지 않지만 국립국어원 한국어교수학습샘터에 게시해 현장 교사들이 무료로 이용할 수 있게 하였습니다.

이번 교재 개발에는 언어학 및 교육학 전문가가 집필자로 참여하여 한국어 교육의 전문적 내용을 쉽고 친근하게 구성하기 위해 노력하였습니다. 특히 이 교재는 언어 능력 향상뿐만 아니라 서로 다른 문화를 이해하여, 한국 사회 구성원으로서 정체성을 확립하는 데 도움이 되도록 개발하였습니다.

아무쪼록《초등학생을 위한 표준 한국어》교재가 다문화가정 학생들이 한국어를 쉽고 재미있게 배워서 한국 사회에서 자신의 꿈을 키워 나가는 데 도움을 줄 수 있기를 바랍니다.

끝으로 이 교재의 개발을 위해 최선의 노력을 기울여 주신 교재 개발진과 출판사에 깊은 감사의 말씀을 드립니다.

2019년 2월
국립국어원장 소강춘

머리말

2012년 '한국어(KSL) 교육과정'이 고시되면서 초등 및 중등 학습자를 위한 한국어(KSL) 교육은 공교육의 체제 속에서 전개되어 왔습니다. 모어 배경과 문화, 생활 경험과 언어적 환경 등에서 매우 다양한 한국어(KSL) 학습자들은 '한국어(KSL) 교육과정'이 적용된《표준 한국어》교재를 배워 왔고 일상생활과 학교생활에 필요한 한국어 능력을 길러 왔습니다. 이제 학교에서의 한국어(KSL) 교육은 새로운 도약을 목전에 두고 있다고 할 수 있습니다. 지난 2017년에 '한국어(KSL) 교육과정'이 개정되면서, 개정 교육과정이 적용된 새로운 교재 11권이 세상에 빛을 보게 되었기 때문입니다.

새로 발행되는《초등학생을 위한 표준 한국어》교재 편찬에서는 두 가지 원칙을 분명히 하고 있습니다. 첫째, 개정된 교육과정의 관점과 내용 체계, 교재 개발을 위한 기초 연구의 성과 등을 충실하게 반영하는 것입니다. 〈의사소통 한국어〉교재와 〈학습 도구 한국어〉교재를 분권하는 것이나 학령의 특수성을 고려한 저학년용, 고학년용 교재의 구분 등은 이러한 맥락에서 실행되었습니다. 또한 교육과정에서 제시한 언어 재료는 주요한 내용 설정의 준거가 되었습니다. 더불어 '내용 모듈화'의 방안을 살려 학습자의 특성과 교육 현장의 필요에 적합한 내용 선택 및 재구성이 가능하도록 하였습니다.

둘째, 초등학생 한국어(KSL) 학습자와 교육 현장을 충분히 이해하고 고려하는 것입니다. 이를 위해 연구 집필진은 초등학생 한국어(KSL) 학습자의 언어 환경, 한국어 학습의 조건과 요구 등을 파악하는 데에 많은 노력을 기울였습니다. 초등학생 학습자의 일상, 학교생활, 교과 수업의 장면을 주제화하고 이러한 주제를 중심으로 필수 어휘와 문법, 표현을 재선정하였습니다. 초등학생들에게 적합한 이미지 중심의 내용 제시, 놀이 활동의 강화, 한글 교육 내용의 특화 등도 강조하였습니다.

개정《초등학생을 위한 표준 한국어》교재의 편찬을 위해 많은 관심과 지원을 아끼지 않은 국립국어원 소강춘 원장님을 비롯한 관계자 여러분께 감사드립니다. 고된 작업 일정과 어려운 여건 속에서도 진심과 열정으로 임해 주셨던 연구 집필진 선생님들께, 그리고 마리북스 출판사에도 깊은 감사의 마음을 전합니다.

언어는 사람의 삶, 그 자체입니다. 초등학생 학습자들이 이 책을 가지고 한국어를 배우는 것으로 삶의 큰 기쁨과 힘을 얻기를 바랍니다. 새로운 세상을 열고 새로운 존재로서의 자신을 단단히 깨닫게 되기를 바라는 마음입니다.

2019년 2월
연구 책임자 이병규

일러두기

〈의사소통 한국어 2〉 저학년 교재는 초등학교 1~2학년 학생들이 일상생활과 학교생활을 하는 데 필요한 한국어 능력을 기를 수 있도록 개발되었습니다. 초등학교 저학년 학생들이 일상생활과 학교생활에서 자주 쓰는 한국어 어휘와 문법, 표현을 배울 수 있도록 하였고, 듣고 말하고 읽고 쓰는 문식 활동을 충분히 경험하도록 하였습니다. 이 교재는 전체 8단원으로 구성되어 있으며 각 단원의 1~6차시는 의사소통 능력을 키우기 위하여 반드시 기본적으로 배워야 하는 기능과 지식이 포함되어 있는 필수 차시이고, 7~10차시는 필수 차시 학습 내용을 다양한 말이나 글의 유형에 통합하여 심화 학습 할 수 있는 선택 차시로 구성하였습니다.

 해당 차시 목표 어휘　　 해당 차시 목표 문법　　 듣기 자료

이 책의 구성

단원	주제	기능	문법	어휘	문화	담화 유형
1	친구	• 친구와 인사하기 • 친구 칭찬하기	–게, –고, 에게, –어 주다, –어도 되다, –은 지	인사말, 상태 어휘, 동작 관련 어휘	인사 예절	대화, 초대장
2	가족과 친척	• 가족 소개하기 • 높임말 사용하기	–고 계시다, –고 있다, 께서, –는 것, –으시–	가족, 친척, 높임말	가족 예절	그림책, 소개문
3	학교 수업	• 학교 일과 말하기 • 학교 행사 말하기	–거나, –기, –기 전에, 까지, 부터, –은 것, –은 후에, –을 거예요	학습 관련 어휘, 시간 관련 어휘	악기	알림장, 일기
4	계절과 날씨	• 계절과 날씨 말하기 • 좋아하는 계절과 이유 말하기	–은, –으면, –어서, –을 수 있다	계절, 날씨, 계절 활동, 날씨 어휘, 계절별 장소	물놀이 안전 수칙	대화, 일기예보, 일기
5	방학	• 방학 계획 말하기 • 경험 말하기	–으니까, –을 때, 이나, 이랑, –지 않다	여행 준비물, 문화생활, 행위 관련 어휘	한국 명승지	대화, 일기, 보고서
6	음식과 맛	• 맛 표현하기 • 좋아하는 음식 말하기	–는, –은, –을, –어 보다	음식 종류, 맛 관련 어휘, 먹는 방법, 요리법	세계 여러 나라의 특별한 날 먹는 음식	대화, 설명문
7	물건 사기	• 가격 말하기 • 물건 사기	보다, –지만, –을까요?, –는 편이다	가격, 가게 명사, 학용품, 돈 관련 어휘	한국의 전통 시장	소개문
8	예절	• 식사 예절 말하기 • 공공장소 예절 말하기	–어야 하다, –는 게 좋다, –지 말고, –을게요	공공장소 어휘, 예절 관련 어휘	세계 여러 나라의 식사 예절	대화, 안내문 인터뷰

단원 구성과 교재 활용 방법

· 단원 구성

선택 차시의
학습 주제 목록입니다.

선택
7 친절하게 말하기
8 소개 글과 초대장 쓰기
9 이야기 읽기
10 생각 넓히기

필수 차시의
학습 주제 목록입니다.

이 집은 필수 차시와
선택 차시로 완성됩니다.

필수
1 친구와 인사하기
2 새 짝
3 친구에게 부탁하기
4 친구 집
5 친한 친구
6 친구 칭찬하기

· 교재 활용

도입

단원 번호와 단원명
단원의 주제를 제목으로
제시하였습니다.

1
친구와 인사해요

학습 목표
· 친구와 인사말을
할 수 있다.
· 친구를 소개하고
칭찬할 수 있다.
· 친구와 친하게 지내는
방법을 말할 수 있다.

학습 목표
단원의 학습 목표를
제시하였습니다.

도입 장면
단원 주제와 관련되어
있으며, 학생들의
일상생활과 연계한 장면을
제시하였습니다.

도입 질문
단원 학습 주제와
관련된 단원 도입 질문
두 가지를 제시하였습니다.

· 친구들이 뭐 해요?
· 여러분은 친구들과 뭐 해요?

필수 차시

차시 번호와 차시 제목
해당 차시의 주제를 제목으로
제시하였습니다.

듣기 자료
학습 대상 어휘나 문법의
도입, 대화, 읽기 자료가
녹음되어 있습니다.

제시 활동
해당 차시에 도입되는
학습 대상 어휘나 문법을
그림, 낱말, 대화, 글 등의
형식으로 제시하였습니다.

장면
학생들의 실제적인
언어 상황이 드러나도록
언어 활동 장면을
구성하였습니다.

글자 색깔
학습 대상 문법이
드러나도록 빨간색
글자로 표시하였습니다.

수영장

물 미끄럼틀을 타다

튜브를 타다

목표 어휘와 목표 문법
학습 대상 어휘나 문법을 확인할 수 있습니다.

🖉 계곡, 물놀이를 하다, 모래성을 쌓다, 물총 놀이를 하다, 참외, 수박, 복숭아, 튜브를 타다, 물 미끄럼틀을 타다

📖 -을 수 있다

연습 활동
학습 대상 어휘나 문법을 장면, 그림, 게임 등을 통해 공부합니다. 익힘책이 활용됩니다.

2. 여름에 할 수 있는 것은 무엇입니까? 모두 찾아봅시다.

① ② ③ ④

3. 여름에 가족과 여행을 가요. 여행을 가서 할 수 있는 일을 써 봅시다.

가고 싶은 곳: ------------------------------

할 수 있는 일: ------------------------------

① ------------------------------

② ------------------------------

적용 활동
학습한 내용을 일상생활에 적용하고 실천하며 내면화합니다. 익힘책이 활용됩니다.

4. 따뜻한 봄이 좋아요 • 89

선택 차시

차시 번호
7~10은 선택 차시를 나타냅니다.

차시 제목
선택 차시의 제목은 말이나 글의 유형과 언어 기능을 통합하여 제시합니다.

심화 학습 활동
선택 차시는 차시별로 말하기, 듣기, 쓰기, 읽기 심화 활동으로 구성하였습니다. 필수 차시에서 학습한 내용을 최대한 활용하여 다양하고 흥미로운 활동을 해 봄으로써 유창성을 향상시키고 더불어 자신감도 키울 수 있도록 하였습니다.

8 일기 예보 말하기

▲ 1. 이야기를 듣고 질문에 대답해 봅시다. 🔊 25

1) 오늘 날씨가 어때요?

① ② ③ ④

2) 저 망은 누구일까요?

① ② ③

3) 내일 날씨를 알고 싶으면 무엇을 봐요?

98 • 의사소통 한국어 2

9 이야기

1. 이야기를 들어 봅시다.

나는 힘이 세서 무엇이든 다 할 수 있어.

우리 저 사람의 외투를 벗기는 시합을 하자.

100 • 의사소통 한국어 2

언어 활동
동화 읽기, 노래하기, 놀이하기, 연극하기, 퍼즐 맞추기 등 다양한 유형 활동을 통하여 필수 차시에서 배운 어휘와 문법을 언어 기능과 함께 심화 학습 합니다.

이솝 우화

내가 알려 줄게,
바람아, 우리
시합할까?

⑩ 생각 넓히기

1. 물놀이를 할 때 조심해야 할 점입니다. 선생님과 이야기해 봅시다.

1) 맞는 것을 찾아 붙임 딱지를 붙여 보세요. 붙임 딱지

준비 운동을 해요.

물놀이 신발을
신어요.

깊은 곳에 들어가지
않아요.

바위나 돌을
조심해요.

몸이 추워지면
빨리 물에서 나와요.

어른들이 볼 수
있는 곳에서 놀아요.

102 • 의사소통 한국어 2

성우
한국

지민
한국

저밍
중국

하미
베트남

요우타
일본

아비가일
필리핀

리암
미국

아이다
키르기스스탄

빈센트
케냐

촘푸
태국

자르갈
몽골

김세현 선생님

박혜연 선생님

이 책의 특징

2017 개정 교육과정에 따른《초등학생을 위한 표준 한국어》의 특징은 다음과 같습니다.

첫째, 한국어 능력이 없거나 현저히 부족한 학생이 대상이며, 다양한 수준의 학습자를 고려하여 교재를 모듈화하였습니다. 이 책은 크게 일상생활과 학교생활 적응을 위한 〈의사소통 한국어〉와 교과 학습 적응을 위한 〈학습 도구 한국어〉로 분권하였습니다. 〈의사소통 한국어〉는 저학년용 네 권, 고학년용 네 권으로 1권과 2권은 초급, 3권과 4권은 중급에 해당합니다. 각 권은 목표 어휘와 목표 문법 학습을 위한 필수 차시, 다양한 담화 유형과 듣기·말하기·읽기·쓰기 활동에 통합하여 반복·심화 학습이 이루어지도록 구성한 선택 차시로 구성되었습니다. 〈학습 도구 한국어〉는 교과 학습 적응을 지원할 수 있도록, 초등학교 교육과정의 학년군별 위계화에 따라 1~2학년군용, 3~4학년군용, 5~6학년군용 모두 세 권으로 분권하였습니다. 3권, 4권 학습자 중 학습 이해도가 빨라 선택 차시의 학습이 불필요한 경우에는 〈학습 도구 한국어〉의 해당 단원을 선택하여 학습할 수 있습니다.

둘째, 대상 학습자의 인지 발달 수준과 언어 경험 수준을 고려하여 교수요목을 재정비하였습니다. 학습자 개인에서 주변·사회로, 구체적인 경험에서 추상적인 경험으로 학습 주제와 내용을 확장하였고, 그와 관련된 핵심 어휘와 문법을 선정하여 교수·학습 내용으로 제시하였습니다.

셋째, 초등 학습 단계가 구체적 조작기임을 고려하여, 목표 어휘와 목표 문법을 추상적인 언어로 설명하는 방식이 아니라, 구체적이고 실제적인 한국어 활동의 장면을 이미지화하여 이를 통하여 교수·학습함으로써 쉽게 익힐 수 있도록 하였습니다.

넷째, 게임·노래·놀이·퍼즐 맞추기·역할극하기·만화 보기 등 초등학생들의 흥미를 유발할 수 있는 다양한 학습 장치를 활용하여 활동을 구성하였습니다.

다섯째, 필수 차시에서는 목표 어휘와 목표 문법을 듣기·말하기·읽기·쓰기 활동과 통합하여 총체적이고 실제적인 의사소통 능력을 기를 수 있도록 구성하였고, 선택 차시에서는 듣기·말하기·읽기·쓰기 활동이 통합된 특정 담화의 유형 속에서 목표 어휘와 목표 문법을 반복·심화 학습하여 담화의 생산과 수용 능력을 기를 수 있도록 하였습니다.

여섯째, 매 차시 학습 전개 순서를, 학습 내용 확인을 위한 '제시 활동 단계', 확인한 학습 내용을 연습할 수 있는 '연습 활동 단계', 연습한 학습 내용을 일상생활에 적용하고 실천하여 내면화할 수 있는 '적용 활동 단계'로 나누어 구성하였습니다.

일곱째, 〈학습 도구 한국어〉는 수업 장면에서 반복되는 교실 어휘와 각 학년군의 국어·수학·사회·과학 교과서에 반복해서 등장하는 사고 도구 어휘·범용 지식 어휘를 학습 내용으로 선정하고, 그 어휘가 등장하는 수업 장면과 교과서를 활용하여 교수·학습 자료로 구성하였습니다.

여덟째, 〈의사소통 한국어〉나 〈학습 도구 한국어〉에서 연습 활동이 충분히 이루어지지 못한 경우는《초등학생을 위한 표준 한국어 익힘책》에서 보충할 수 있도록 연계하였습니다.

차례

학습 목표
• 친구와 인사말을
  할 수 있다.
• 친구를 소개하고
  칭찬할 수 있다.
• 친구와 친하게 지내는
  방법을 말할 수 있다.

• 친구들이 뭐 해요?

• 여러분은 친구들과 뭐 해요?

1 친구와 인사하기

1. 친구와 인사해 봅시다. 💿 1

1) 듣고 그림을 가리키세요.

안녕!

잘 가!

만나서 반가워.

고마워.

괜찮아?

축하해!

2) 다시 듣고 따라 하세요.

2. '인사하기' 노래를 해 봅시다. 💿 2

1) 듣고 따라 하세요.

2) 노래를 바꿔 불러요.

> 헤어질 때 인사해. ○○, ○○.
> 도와줄 때 인사해. ○○○.

3. '인사하기 놀이'를 해 봅시다. 부록

② 새 짝

1. 이야기를 들어 봅시다. 🔊 3

1) 듣고 가리켜 보세요.

2) 다시 듣고 따라 하세요.

3) 〈보기〉의 낱말을 빈칸에 써 보세요.

2. 짝과 동물 이야기를 해 봅시다. 어울리는 것을 연결하고 읽어 봅시다.

길다 • • 고래는 몸이 ＿＿＿＿. • •

짧다 • • 기린은 목이 ＿＿＿＿. • •

크다 • • 코끼리는 힘이 ＿＿＿＿. • •

세다 • • 펭귄은 다리가 ＿＿＿＿. • •

3. '누구일까요?' 놀이를 해 봅시다.

● 친구를 소개해요.

① 내 친구는 머리가 짧습니다.

② 내 친구는 키가 크고 다리가 깁니다.
　　　내 친구는 누구일까요?

● 누구인지 말해요.

내 친구는 ＿＿＿＿＿입니다.

＿＿＿＿＿＿＿＿＿＿＿＿

＿＿＿＿＿＿＿＿＿＿＿＿

1. 하미와 저밍의 대화를 읽어 봅시다.

1) 하미가 누구에게 전화했어요?

2) 저밍이 어디에서 뭐 해요?

3) 저밍이 하미에게 부탁하는 말을 따라 해 보세요.

2. 1번 그림을 보고 〈보기〉와 같이 말해 봅시다.

1) 누가 누구에게 무엇을 해요?

〈보기〉

하미/저밍/전화를 걸다

➡ 하미가 저밍에게 전화를 걸어요.

● 요우타/성우/공을 던지다   ● 아비가일/언니/뛰어가다

2) 누가 무엇을 해 주었어요?

〈보기〉

성우/가방/들다

➡ 성우가 가방을 들어 주었습니다.

● 리암/그네/밀다   ● 아이다/목걸이/걸다

3. 친구에게 부탁해 봅시다.

철봉이 너무 높아.
나를 올려 줘.

사진 ....

올리다   찍다   ?

④ 친구 집

1. 친구 집에 놀러 갔어요. 만화를 읽어 봅시다.

1) 아이다가 하미 집에 들어가요. 어떻게 말해요?

2) 하미 방은 어때요?

3) 하미가 아이다에게 무엇을 줬어요? 그리고 왜 줬어요?

넓다, 깨끗하다, 예쁘다,
많다

-어도 되다

2. 그림을 보고 대답해 봅시다.

1) 알맞은 낱말에 ○표를 해요.

마당이 (넓다/좁다)　　손이 (깨끗하다/더럽다)　　꽃이 (많다/적다)

2) 그림에 어울리는 말을 해 보세요.

오늘 너희 집에 _____ ?
(가다)　　　괜찮아. 와도 돼.

선생님, 너무 급해요.
화장실 _____ ?
(다녀오다)

3. '허락하기 놀이'를 해 봅시다.

〈놀이 방법〉

① 하고 싶은 행동을 해도 되는지 친구에게 물어봐요.
② 다른 친구는 허락하거나 허락을 하지 않아요.
③ 친구가 허락하면 행동을 해요.

창문 열어도 돼?　→　응, 열어도 돼.　→

　　　　　　　→　아니, 안 돼.　→

⑤ 친한 친구

1. 아이다의 글을 선생님과 읽어 봅시다.

지민이가 좋아요

지민이는 친구와 친하게 지내요.
지민이는 잘 웃고 이야기를 재미있게 해요.
친구 말을 잘 들어주고 친절하게 말해요.

나는 오늘 운동장에서 넘어졌어요.
"괜찮니?"
지민이가 내 손을 잡아 주었어요.
지민이는 정말 착하고 친절해요.
나는 지민이가 좋아요.

1) 지민이는 친구와 어떻게 지내요?

2) 지민이가 나에게 어떻게 했어요?

3) 나는 지민이를 어떻게 생각해요?

✏ 좋다, 친하다, 웃다, 재미있다, 착하다, 친절하다

📚 -게

2. 〈보기〉와 같이 말해 봅시다.

〈보기〉 지민이는 이야기를 재미있게 해요.
(재미있다)

① 아이다가 머리를 _____ 잘랐어요.
(짧다)

② 글씨가 너무 작아요. 글씨를 _____ 써 주세요.
(크다)

③ 아비가일이 나에게 약속 장소를 _____ 알려 주었어요.
(친절하다)

3. 좋은 말로 ♡를 만들어요. 붙임 딱지

1) 어떻게 친구와 친하게 지내요? 붙임 딱지를 ◇에 붙이고 ♡를 만드세요.

2) ♡ 속의 문장을 친구와 크게 읽어 보세요. 그리고 서로 약속해요.

잘 웃어요.
친구와 싸워요.
친구를 칭찬해요.
친구에게 나쁘게 말해요.
나쁘게 말하지 않아요.
잘 도와줘요.
친절하게 해요.
짜증을 내요.

⑥ 친구 칭찬하기

1. 빈센트가 전학을 왔어요. 대화를 들어 봅시다. 💿 4

1) 빈센트와 선생님의 대화를 들으세요.

빈센트는 한국에 온 지
3개월이 됐어요.

3개월

2월   3월   4월   5월

↑
빈센트가
한국에 온 달

↑
지금
(빈센트가 전학 온 달)

2) 빈센트는 한국에 온 지 얼마나 됐어요?

3) 선생님을 따라 읽으세요.

> 저는 한국에 온 지 1년이 됐어요.

> 저는 서울에 온 지 2개월이 됐어요.

4) 여러분은 한국에 온 지 얼마나 됐어요?

> 저는 한국에 _____ 이 됐어요.

2. 〈보기〉와 같이 묻고 대답해 봅시다.

> 〈보기〉 한국에 온 지 얼마나 됐어요?
>
> ➡ 한국에 온 지 3개월이 됐어요.   (한국/오다/3개월)

① 그 책을 읽은 지 얼마나 됐어요?

➡ _____   (이 책/읽다/일주일)

② 버스가 출발한 지 얼마나 됐어요?

➡ _____   (버스/출발하다/1시간)

3. 친구를 칭찬해 봅시다.

1) 〈보기〉와 같이 친구를 칭찬해 보세요.

> 〈보기〉
>
> 바이올린 배운 지 얼마나 됐어?
> 바이올린 참 잘한다.
>
>
>
> 바이올린 배운 지
> 3개월 됐어.
> 칭찬해 줘서 고마워.

① 한국어/3개월

② 태권도/2개월

③ 피아노/1년

2) 친구를 칭찬해 보세요.

1. 어떤 말이 기분이 좋아요? 친구의 말을 잘 듣고 친절하게 말해 봅시다.

　1) 기분 좋은 말을 생각해요.

　2) '친절하게 말하기 놀이'를 해요.

너는 참 친절해.

고마워.

친절하게 말해요

　3) 여러분은 어떤 말이 가장 기분이 좋았어요?

2. 친구에게 미래의 집을 설명해 봅시다.

1) 요우타가 아이다의 설명을 듣고 그림을
그렸어요. 설명에 맞게 하나하나 가리켜
보세요.

요우타의 그림

아이다: 준비됐어?
요우타: 응, 설명해도 돼.
아이다: 미래의 나의 집은 마당이 넓어.
　　　　마당에 꽃이 많고, 나무도 커.
　　　　지붕이 높아.

2) 아래의 낱말을 넣어서 미래의 집을 설명해 보세요.

길다　　깨끗하다　　넓다　　높다
많다　　예쁘다　　짧다　　크다　　튼튼하다

3) 친구의 설명을 듣고 그림을 그려 보세요.

8 소개 글과 초대장 쓰기

1. 나를 소개해 봅시다.

1) 선생님과 함께 읽어 보세요.

안녕하세요. 저밍입니다.
저는 중국에서 왔습니다.
저는 달리기를 잘하고
그림 그리기를 좋아합니다.
한국에 온 지 3개월이 되었습니다.

2) 내 이야기를 써 보세요.

안녕하세요. _____.

저는 _____ 에서 왔습니다.

저는 _____ 고,

_____.

한국에 _____ 이/가 되었습니다.

2. 생일 초대장을 써 봅시다.

1) 선생님과 함께 읽어 보세요.

초대합니다

안녕, 하미야.
○월○일이 내 생일이야.
꼭 와 줘. 그리고 축하해 줘.

✔ 언제 : ○월○일 토요일, 오후 1시
✔ 어디서 : 한국 놀이터
✔ 연락처 : 010-1234-5678

2) 내 이야기를 써 보세요.

초대합니다

＿＿＿＿＿, ＿＿＿＿ 아/야.

＿＿＿ 월 ＿＿ 일이 내 생일이야.

꼭 ＿＿＿＿. 그리고 ＿＿＿＿.

내 생일날 만나자!

✔ 언제: ＿＿ 월 ＿＿ 일 ＿＿ 요일 ＿＿ 시

✔ 어디서: ＿＿＿＿＿＿＿＿＿＿＿

✔ 연락처: ＿＿＿＿＿＿＿＿＿＿＿

⑨ 이야기 읽기

1. 만화를 읽고 대답해 봅시다.

1) 왜 오성이 한음의 몸을 찔렀어요?

2) 왜 한음은 오성이 찔렀다고 말하지 않았어요?

3) 친구가 여러분을 생각해 준 경험이 있어요? 친구들에게 이야기해 보세요.

2. 친구와 역할극을 해 봅시다.

오성: 한음아, 내가 찌른 걸 알면서
　　　왜 모른다고 했니?

한음: 네가 혼날까 봐 그랬어.

오성: 나를 생각해 줘서 고마워.
　　　앞으로도 친하게 지내자.

한음: 그러자.

⑩ 생각 넓히기

1. 예쁘게 인사해 봅시다.

학교에 가요.

선생님을 만났어요.

음식을 먹어요.

집으로 돌아가요.

학교에서 돌아왔어요.

잠을 자요.

2. 여러 나라의 인사를 해 봅시다.

니하오.

중국

오하이오
고자이마스.

일본

씬 짜오.

베트남

나마스떼.

인도

봉주르.

프랑스

샬롬.

이스라엘

3. '인사하기 놀이'를 해 봅시다. 부록

〈놀이 방법〉 ① 그림 카드를 여러 장 들고 두 줄로 둥글게 서요.
② 노래를 불러요. 그리고 서로 반대쪽으로 돌아요.
"우리 우리 친구들 안녕, 안녕. 친구에게 인사해."
③ 노래가 끝나고 그림 카드를 뽑아요.
④ 그림 카드를 보고, 서로 인사해요.

친척을 소개해요

학습 목표
• 가족을 소개할 수 있다.
• 높임말을 사용할 수 있다.
• 친척 호칭을 말할 수 있다.

♥첫돌♥
우리 아기의 첫 번째 생일을
축하합니다.

• 가족과 뭐 해요?
• 어떤 친척이 있어요?

① 우리 가족

1. 친구들과 가족에 대해 이야기해 봅시다.

1) 지민과 저밍의 가족이 몇 명이에요?

지민의 가족

아버지   어머니   언니   나

저밍의 가족

할아버지   할머니   아버지   어머니   형   나   동생

2) 지민과 저밍의 가족을 말해 보세요.

2. 〈보기〉에서 알맞은 낱말을 찾아 빈칸에 써 봅시다.

〈보기〉	할아버지	할머니	아버지	어머니	형
	누나	오빠	언니	남동생	여동생

3. 〈보기〉의 낱말에서 나의 가족에 동그라미를 그리고 친구와 선생님께 소개해 봅시다.

저는 지민이에요. 저는 아버지, 어머니, 언니와 같이 살아요. 우리 가족은 모두 4명이에요.

〈보기〉	할아버지	할머니	아버지(아빠)	어머니(엄마)	형
	누나	오빠	언니	여동생	남동생

1. 가족사진을 보고 이야기해 봅시다.

1) 바닷가에 누가 있어요?

2) 방에서 누가 자요?

3) 듣고 따라 하세요. 🔵 5

하미가 수영을 합니다.
아버지께서 수영을 하십니다.
하미가 웃습니다.
어머니께서 웃으십니다.

동생이 방에 있습니다.
어머니께서 방에 계십니다.
동생이 낮잠을 잡니다.
어머니께서 낮잠을 주무십니다.

계시다, 낮잠, 자다, 주무시다

께서, -으시-

2. 사진과 어울리는 문장을 연결하고 써 봅시다.

자다   웃다   요리를 하다   책을 읽다
●   ●   ●   ●

●   ●   ●   ●
아버지께서 요리를   어머니께서 책을   할아버지께서   할머니께서
- - - - - - -   - - - - - - - -   - - - - - - - -   - - - - - - - -

3. 가족이 무엇을 하는지 말해 봅시다.

할아버지께서
주무십니다.

③ 가족 소개

1. 하미의 가족을 소개해 봅시다. 💿 6

1) 잘 듣고 가리키세요.

2) 듣고 따라 하세요.

〈보기〉	아버지께서는 회사에 다니세요. 어머니께서는 선생님이세요. 동생은 유치원에 다녀요.

3) 하미와 아빠는 뭐 하는 것을 좋아해요?

하미는 음악 듣는 것을 좋아해요.

아빠는 요리하는 것을 좋아하세요.

회사에 다니다, 유치원,
음악을 듣다

 -는 것

2. 하미 가족이 좋아하는 것을 연결하고 말해 봅시다.

	책을 읽다	아빠는 요리하는 것을 좋아하세요.
	요리하다	저는 음악을 듣는 것을 좋아해요.
	수영하다	엄마는 책을 읽는 것을 좋아하세요.
	음악을 듣다	동생은 수영하는 것을 좋아해요.

3. 하미처럼 여러분도 친구들에게 가족사진을 보여 주고 소개해 봅시다.

저는 하미예요.
우리 가족은 모두 네 명이에요.
아버지께서는 회사에 다니세요. 요리하는 것을 좋아하세요.
어머니께서는 선생님이세요. 책 읽는 것을 좋아하세요.
동생은 유치원에 다녀요. 수영하는 것을 좋아해요.
저는 음악 듣는 것을 좋아해요.
우리 가족은 서로 사랑해요.

4 가족 행사

1. 지민이의 가족이 작년에 한 행사입니다. 같이 이야기해 봅시다.

축 졸업

나래초등학교 입학

설날

언니 중학교 졸업

동생 초등학교 입학

1) 위 그림을 보고 어떤 행사가 있었는지 읽어 보세요.

2) 지민이의 가족 행사표를 만들고 소개하세요.

행사 월	행사 이름
1월	설날 가족 모임
2월	언니 중학교 ( )
3월	동생 초등학교 ( )
5월	어버이날 가족 모임
7월	가족 여행
9월	아빠 ( )
10월	엄마 ( ), 내 생일
12월	동생 생일

10월에 엄마 생신 파티를 했어요.

어버이날 가족 모임

가족 여행

아빠 생신

2. 그림에 어울리는 낱말을 연결해 봅시다.

세배	생신(생일)	입학	졸업

3. 올해 나의 가족 행사표를 만들어 봅시다. 부록

⑤ 가족 안부

1. 전화로 가족 안부를 묻고 대답해 봅시다.

   1) 지민이가 엄마와 통화를 해요. 듣고 따라 하세요. 💿 7

   2) 질문을 듣고 그림을 가리키세요. 그리고 답해 보세요. 💿 8

2. 그림을 보고 말해 봅시다.

하미가 무엇을 하고 있어요?

하미가 음악을 듣고 있어요.

어머니께서 무엇을 하고 계세요?

어머니께서 책을 읽고 계세요.

3. 친구의 행동을 보고 말해 봅시다.

성우가 스케이트를
타고 있어요.

6 친척

1. 성우의 동생 생일(돌잔치)에 친척들이 모였어요. 선생님과 같이 이야기해 봅시다.

1) 내 동생 생일(돌잔치)에 누가 모였어요?

2) 〈보기〉의 낱말을 빈칸에 쓰세요.

〈보기〉   삼촌   고모   큰아버지   외삼촌   이모   사촌   외사촌

2. 친척 호칭 게임을 해 봅시다.

〈놀이 방법〉

① 빙고 칸에 친척 호칭을 써요.
② 순서대로 친척 호칭을 말해요.
③ 먼저 3칸을 채워 한 줄이 되도록 해요.

3. 나의 친척을 쓰고 소개해 봅시다.

요우타의 친척

할아버지
할머니
고모 외삼촌
사촌

나의 친척

7 가족과 한 일 쓰기

1. 준서가 가족사진을 설명합니다. 같이 읽어 봅시다.

1) 누구 생신이에요?

외할머니 생신이에요.
어머니와 이모께서 음식을 만드세요.
아버지께서 식탁을 정리하세요.
형이 케이크를 샀어요.
나는 외할머니께 선물을 드렸어요.
모두 같이 생일 축하 노래를 불렀어요.

2) 다시 읽고 누구인지 쓰세요.

어머니와
------------- ------------- ------------- -------------

------------- ------------- ------------- -------------

2. 아비가일의 가족사진을 보고 글을 써 봅시다.

태국에서 코끼리를 탔어요.

할아버지_____ 동생을 코끼리 등에 올려

_____ (주다).

코끼리 등이 아주 높았어요.

동생이 무서워서 울었어요.

할아버지_____ 동생을 보고 _____ (웃다).

나도 웃었어요.

⑧ 효도 이용권 만들기

1. 아이다와 엄마의 대화를 들어 봅시다. 💿 9

　　1) 아이다와 엄마의 대화를 듣고 따라 하세요.

　　2) 다시 듣고 대답하세요.

> ● 아이다는 왜 효도 이용권을 만들었어요?
> ● 어버이날이 언제예요?
> ● 아이다 엄마가 말한 효도 이용권을 말하세요.

2. 그림을 보고 〈보기〉의 효도 이용권 번호를 써 봅시다.

> 〈보기〉
> ① 심부름 이용권　　② 설거지 이용권　　③ 일찍 일어나기 이용권
> ④ 안마하기 이용권　　⑤ 안아 주기 이용권　　⑥ 정리하기 이용권

정리를 해 볼까?

3. 부모님, 할머니, 할아버지께 드릴 효도 이용권을 만들어 봅시다.

심부름 이용권 저는 부모님께서 부탁하시는 심부름을 열심히 하겠습니다. 사용 기간: 10월 15일까지	_____ 이용권 저는 _____ 께서 부탁하시는 _____ 을/를 열심히 하겠습니다. 사용 기간: ___월 ___일까지
_____ 이용권 저는 _____ 께서 부탁하시는 _____ 을/를 열심히 하겠습니다. 사용 기간: ___월 ___일까지	_____ 이용권 저는 _____ 께서 부탁하시는 _____ 을/를 열심히 하겠습니다. 사용 기간: ___월 ___일까지
_____ 이용권 저는 _____ 께서 부탁하시는 _____ 을/를 열심히 하겠습니다. 사용 기간: ___월 ___일까지	_____ 이용권 저는 _____ 께서 부탁하시는 _____ 을/를 열심히 하겠습니다. 사용 기간: ___월 ___일까지
_____ 이용권 저는 _____ 께서 부탁하시는 _____ 을/를 열심히 하겠습니다. 사용 기간: ___월 ___일까지	_____ 이용권 저는 _____ 께서 부탁하시는 _____ 을/를 열심히 하겠습니다. 사용 기간: ___월 ___일까지

⑨ 이야기 읽기

1. 이야기를 읽어 봅시다.

가족을 화나게 할 때

내 방에 쓰레기가 많다.
청소는 한 번도 안 한다.

가족과 대화를 안 하고,
매일 컴퓨터 게임만 한다.

늦게 자고 늦게 일어난다.

밥을 먹고
식탁을 정리하지 않는다.

2. '가족을 기쁘게 할 때' 그림책을 만들어 봅시다.

가족을 기쁘게 할 때

내 방은 내가

-----------------------------------.

-----------------------------------.

일찍 자고 일찍 일어난다.

밥을 먹고 식탁을

-----------------------------------.

● 가족을 기쁘게 하는 행동을 쓰세요.

● 그림을 그리세요.

-----------------------------------.

1. 한국의 가족 예절에 대해 이야기해 봅시다.

1) 상황에 알맞게 번호를 쓰세요.

상황	번호
할아버지께서 진지를 잡수세요. 그다음에 내가 밥을 먹어요.	
할아버지께 두 손으로 물건을 드려요.	
밤에 할머니께 인사를 드려요.	
밥 먹을 때 감사 인사를 드려요.	
아침에 할머니께 인사를 드려요.	

2) 다음을 듣고 따라 하세요. 💿 10

2. 알맞게 고쳐 써 봅시다.

① 동생이 밥을 먹고 있어요. ➡ 할아버지께서 _____을/를
_____.

② 나는 동생에게 선물을 주었어요. ➡ 나는 할아버지 _____
선물을 _____.

③ 아침에 동생에게 인사를 해요. ➡ 아침에 할아버지 _____
인사를 _____.

3. 친구들과 '예절 놀이'를 해 봅시다. 부록

〈놀이 방법〉
① 상황을 뽑아요.
② 역할을 정해요.(할아버지/할머니, 아버지/어머니, 형/누나, 동생)
③ 역할에 맞게 행동과 말을 해요.

안녕히 주무셨어요?

응, 그래. 너도 잘 잤니?

3 학교에서 공부할 거예요

알뜰시장

• 학교에서 무엇을 해요?

• 무슨 수업이 좋아요?

1 시간표

1. 대화를 들어 봅시다. 🎧 11

1) 다시 듣고 빈칸에 알맞은 낱말을 쓰세요.

 _____

 _____

2) 대화를 읽어 보세요.

월요일에 국어를 배운 후에 무엇을 배워?

수학을 배워.

월요일에 창의를 배우기 전에 무엇을 해?

통합 교과를 해.

배우다

-기 전에, -은 후에

교시 \ 요일	월요일	화요일	수요일	목요일	금요일
1	국어	통합	수학	국어	통합
2	수학	통합	🔍	국어	수학
3	통합	국어	통합	통합	국어
4	통합	🔍	통합	통합	창의
5	창의	안전한생활		창의	
6					
7					

2. 저밍의 시간표를 살펴봅시다.

1) 목요일 시간표를 보고 묻고 대답하세요.

통합 교과를 배우기 전에
무엇을 배워?

‐‐‐‐‐‐‐‐‐‐‐‐‐‐‐‐‐‐‐‐‐‐‐‐‐‐‐‐‐.

통합 교과를 배운 후에
무엇을 해?

‐‐‐‐‐‐‐‐‐‐‐‐‐‐‐‐‐‐‐‐‐‐‐‐‐‐‐‐‐.

2) 금요일 시간표를 보고 묻고 대답하세요.

3. 여러분 학급의 시간표를 보고 친구들과 이야기해 봅시다.

○○을 배운 후에 무엇을 배워?   ○○을 배우기 전에 무엇을 배워?

3. 학교에서 공부할 거예요 • 63

② 학교 준비물

알림장

① 내일, 학교 사랑 그리기 대회를 합니다.

② 도화지는 학교에서 나누어 줍니다.

③ 준비물: 크레파스, 색연필, 사인펜 중에서 아무것이나 가져오기

1. 선생님을 따라 알림장을 읽어 봅시다.

1) 학교 사랑 그리기 대회는 언제 해요?

2) 내일 무엇을 준비해요? 도화지도 가져와요?

3) 크레파스, 색연필, 사인펜 모두 가져와요?

4) 여러분이 가져오고 싶은 것을 〈보기〉와 같이 알림장에 써 보세요.

〈보기〉

○월 ○일 ○요일
색종이, 풀, 가위 가져오기

○월 ○일 ○요일

네, 괜찮아요. 풀과 가위도 준비하세요.

선생님, 색종이 가져와도 돼요? 그림에 색종이도 붙이고 싶어요.

2. 성우가 알림장에 썼어요. 맞는 것에 ○표 해 봅시다.

① 내일, 학교 사랑 그리기 대회   (   )

② 도화지 준비하기   (   )

③ 크레파스, 색연필 가져오기   (   )

④ 연필로 미리 그려 오기   (   )

3. 선생님의 말씀을 잘 듣고 알림장을 써 봅시다. 💿 12

알림장

① 운동복 ....

② 줄넘기 줄 ....

③ 수학 덧셈과 뺄셈 문제 풀기

③ 통합 교과 시간

1. 친구들이 여러 가지 악기를 배웁니다. 대화를 들어 봅시다. 🎧 13

성우가 친 것은 탬버린이에요.

캐스터네츠

트라이앵글

탬버린

1) 친구들이 친 것이 뭐예요? 대화를 다시 듣고 말해 보세요.

> 하미가 친 것은 캐스터네츠예요.
>
> 성우가 ＿＿＿＿＿ 것은 탬버린이에요.
>
> 아이다가 ＿＿＿＿＿ 것은 ＿＿＿＿＿＿＿＿＿.

2) 빈칸에 알맞은 말을 쓰고, 읽어 보세요.

> "짝짝짝" 소리가 난 것은 캐스터네츠예요.
>
> "찰찰찰" 소리가 ＿＿＿＿ 것은 탬버린이에요.
>
> "칭칭칭" 소리가 ＿＿＿＿ 것은 ＿＿＿＿＿＿＿＿＿.

2. 친구들이 경험한 것을 연결하고 말해 봅시다.

	먹다	아빠와 요리한 것이 기억나요.
	요리하다	엄마와 책을 읽은 것이 기억나요.
	여행하다	가족들과 태국을 여행한 것을 잊을 수가 없어요.
	읽다	친척들과 맛있게 음식을 먹은 것이 생각나요.

3. 친구들과 '빨리 대답하기' 놀이를 해 봅시다.

〈놀이 방법〉
① 3~5명이 같이 해요.
② 1명이 문제를 내요.
③ 대답을 가장 빨리 한 친구가 다음 문제를 내요.

어제 먹은 것은?

밥!

과자!

빵!

④ 수학 시간

1. 수학 시간의 대화를 들어 봅시다. 14

시간		요일	월요일
1교시	09:10 ~ 09:50		국어
2교시	10:00 ~ 10:40		수학
3교시	10:50 ~ 11:30		통합
4교시	11:40 ~ 12:20		통합
점심시간	12:20 ~ 13:10		
5교시	13:10 ~ 13:50		창의

1) 요우타가 저녁 7시 30분에 무엇을 해요?

2) 2교시는 무슨 시간이에요? 그리고 몇 시부터 몇 시까지예요?

<보기>

1교시는 국어 시간입니다.
1교시는 9시 10분부터
9시 50분까지입니다.

3) 통합 교과는 몇 시부터 몇 시까지 해요?

4) 여러분은 오늘 저녁 7시 30분에 무엇을 할 거예요?

2. 요우타의 계획을 보고 대답해 봅시다.

한국어를 40분 동안 배워요.

PM 2:00 — 한국어 공부하기

PM 2:50 — 축구 배우기

PM 6:30 — 가족들과 식사하기

PM 8:30 — 한국어 복습하기

1) 요우타는 한국어를 몇 시부터 몇 시까지 배워요?

2) 요우타는 오후 6시 30분부터 무엇을 해요?

요우타는 오후 2시 50분부터 축구를 배울 거예요.

요우타는 오후 6시 30분부터 _ .

3. 오늘 계획을 친구들과 이야기해 봅시다.

1) 시각을 쓰고 〈보기〉처럼 계획을 말해 보세요.

〈보기〉
저는 3시부터 4시까지
친구들과 놀 거예요.

2) 친구들의 계획을 말해 보세요.

5 학교 수업

1. 리암의 일기를 읽고 이야기해 봅시다.

   1) 선생님을 따라 일기를 읽으세요.

   > ○월 ○일 화요일
   >   오늘은 화요일입니다. 화요일에는 통합, 국어, 수학, 안전한 생활 수업이 있습니다. 수학 시간에는 덧셈과 뺄셈을 배웠습니다. 숙제는 수학 문제 풀기입니다. 안전한 생활 시간에는 손 씻기 방법을 배웠습니다. 병에 걸리지 않게 손을 잘 씻을 것입니다.

   2) 화요일에 어떤 수업을 해요? 그리고 오늘 숙제가 뭐예요?

   3) 여러분은 국어 시간, 수학 시간에 무엇을 배웠어요?

2. 낱말과 어울리는 문장을 연결하고 써 봅시다.

수업	숙제	시간
●	●	●
●	●	●
오늘 국어 _____ 은/는 책 읽어 오기예요.	다음 _____ 에는 운동장에 나갈 거예요.	_____ 이/가 시작되었어요. 자리에 앉으세요.

3. 리암의 수요일 수업을 살펴봅시다.

1) 리암의 수요일 하루를 보세요.

○월 ○일 수요일

1교시: 국어
'문장 부호'

수학 숙제는
문제 풀기예요.

2교시: 수학
'넓이 비교하기'

3교시: 안전한 생활
'횡단보도 안전하게 건너기'

4교시: 통합
'부채 만들기'

2) 리암의 일기를 완성하세요.

　　국어 시간에 문장 부호를 배웠습니다. 수학 시간에 넓이 비교

하기를 ＿＿＿＿＿＿＿. 수학 ＿＿＿＿＿＿＿은/는 문제 풀기

입니다. ＿＿＿＿＿＿＿ 시간에는 '횡단보도 안전하게 건너기'를

배웠습니다. ＿＿＿＿＿＿＿ 시간에는 색종이로 부채 만들기를

했습니다. 부채를 집에서 하나 더 ＿＿＿＿＿＿＿.

1. 아비가일의 학교 행사를 보고 이야기해 봅시다.

수영 교육을
나흘 동안 해요.

매주 금요일에
한글 교실을 해요.

알뜰 시장

알뜰 시장에서 나에게
필요 없는 것을 팔거나
갖고 싶은 것을
살 수 있어요.

1) 묻고 대답하세요.

- 한글 교실은 언제 해요?
- 수영 교육은 며칠 동안 해요?
- 알뜰 시장에서 뭐 해요?

2) 듣고 대답하세요. 💿 15, 16

- 도서관 행사에서 뭐 해요? 그리고 영어 교실에서 뭐 해요?

| 동화 작가 만나기 | 독서 신문 만들기 | 한글 쓰기 | 그림책 읽기 |

20○○년 6월 학교 행사 계획

일	월	화	수	목	금	토
					1 한글 교실	2
3	4 도서관 행사	5	6	7	8 한글 교실	9
10	11	12 스케이트 교육	13	14 스케이트 교육	15 한글 교실	16
17	18 알뜰 시장	19 알뜰 시장	20 알뜰 시장	21	22 한글 교실	23
24	25 수영 교육	26 수영 교육	27 수영 교육	28 수영 교육	29 한글 교실	30

2. 학교 행사 계획을 보고 연결해 봅시다.

도서관 행사	수영 교육	스케이트 교육	알뜰 시장
●	●	●	●

●	●	●	●
하루 (1일)	이틀 (2일)	사흘 (3일)	나흘 (4일)

3. 우리 학교의 6월 행사 계획을 말해 봅시다.

1. 이야기를 읽어 봅시다.

미래 학교 학생들

3020년, 미래의 초등학교엔 선생님이 안 계신다. 수업은 컴퓨터가 한다. 매주 시험도 본다. 그런데 하늘에서 초록 햇빛이 내려온 후에 컴퓨터가 변했다. 이유 없이 혼내거나 답을 틀리게 알려 주었다. 어느 날 컴퓨터가 시간을 과거로 돌렸다. 시간은 우리를 과거로 보냈다.

우리 앞에 선생님이 계셨다. "여러분, 안녕. 오늘 재미있게 놀아요." 선생님께서 우리에게 캐스터네츠, 탬버린, 트라이앵글을 주셨다. 우리는 악기를 신나게 쳤다. 학교가 이렇게 재미있는 곳인지 처음 알았다.

1) 초록 햇빛이 내려온 후에 컴퓨터가 어떻게 변했어요?

2) 컴퓨터가 변한 후에 시간이 학생들을 어디로 보냈어요?

3) 과거 초등학교에서 학생들이 무엇을 했어요?

4) 미래 초등학교와 과거 초등학교가 어떻게 달라요?

2. 선생님의 말씀을 읽고 알림장을 써 봅시다.

내일 1교시부터 3교시까지 수영을 배워요.

수영복, 수영모, 물안경을 준비하세요.

버스를 타고 가요. 버스는 9시에 학교에서 출발해요.

8시 40분까지 등교하세요.

4교시는 학교에서 종이접기를 해요.

색종이, 가위, 풀을 준비하세요.

알림장

1. 8시 40분까지 ＿＿＿＿＿＿＿＿＿＿＿＿＿＿＿＿＿.

2. 수영복, 수영모, 물안경 ＿＿＿＿＿＿＿＿＿＿＿.

3. ＿＿＿＿＿＿＿＿＿＿＿＿＿＿＿＿＿＿＿＿.

1. 대화를 듣고 질문에 답해 봅시다. 🔘 17

오늘 숙제가 뭐야?

수학 익힘책 78쪽부터 81쪽까지 풀어 오기야.

1) 오늘 숙제가 뭐예요?

2) 내일 준비물이 뭐예요?

3) 하미는 알림장에 무엇을 썼을까요? 하미의 알림장에 쓰세요.

4) 하미의 알림장을 보고 요우타에게 숙제와 준비물을 알려 주세요.

2. 잘 듣고 7월 학교 행사 계획을 만들어 봅시다. 🎧 18

1) 학교 행사를 언제 해요?

┌─────────────────┐ ┌─────────────────┐ ┌─────────────────┐ ┌─────────────────┐
│ 노래 부르기 대회 │ │   도서관 행사   │ │   수학 교실   │ │   여름 방학식   │
└─────────────────┘ └─────────────────┘ └─────────────────┘ └─────────────────┘

2) 학교 행사 계획을 써 보세요.

20○○년 7월 학교 행사 계획

일	월	화	수	목	금	토
1	2	3	4	5	6	7
8	9	10	11	12	13	14
15	16	17	18	19	20	21
22	23	24	25	26	27	28
29	30	31				

3) 우리 학교의 행사 계획을 소개하세요.

1. 손 씻기 방법을 알아봅시다.

1) 읽으세요.

손바닥과 손바닥을
붙인 후에 여러 번 씻기

손가락과 손가락을
잡은 후에 여러 번 씻기

손등과 손바닥을
붙인 후에 여러 번 씻기

손가락을 다른 쪽 손바닥에
놓은 후에 여러 번 씻기

양쪽 손가락을 모두
낀 후에 여러 번 씻기

엄지손가락을
다른 쪽 손가락으로 씻기

2) 손 씻기 방법을 말하고 손으로 따라 하세요.

2. 횡단보도를 안전하게 건너는 방법을 알아봅시다.

1) 읽어 보세요.

①	멈춘다	횡단보도에서 멈춘 후에 오른쪽에 서요.
②	좌우를 본다	차가 멈추었어요? 도로 왼쪽과 오른쪽을 봐요.
③	손을 든다	손을 높이 들어요. 운전사가 나를 볼 수 있어요.
④	운전사를 본다	횡단보도를 건너기 전에 운전사를 봐요.
⑤	건넌다	손을 들고 안전하게 건너요.

2) 그림에 어울리는 낱말을 연결하세요.

멈춘다   좌우를 본다   손을 든다   운전사를 본다   건넌다

3) 횡단보도 건너는 방법을 연습해 보세요.

10 생각 넓히기

1. 한국 악기를 배워 봅시다.

1) 글을 따라 읽어요.

꽹꽹 꽹과리를 쳐요.
둥둥 북을 쳐요.
댕댕 징을 쳐요.
덩덩 딱딱 소고를 쳐요.
덩덩 다다닥 장구를 쳐요.

징   북   장구   꽹과리   소고

2) 그림에 어울리는 낱말을 연결하세요.

| 꽹과리 | 북 | 소고 | 장구 | 징 |

3) 한국의 전통 악기를 쳐 보세요.

2. 마라카스를 만들어 봅시다.

1) 마라카스를 만들고 흔들어 보세요.

① 플라스틱 병, 밀가루,
쌀, 콩 준비하기

② 플라스틱 병에
밀가루, 쌀, 콩 넣기

③ 뚜껑을 닫고 플라스틱
병 꾸미기

⑤ 마라카스 소리 듣기

④ 밀가루 마라카스, 쌀 마라카스,
콩 마라카스 흔들기

2) 소리가 제일 큰 것과 작은 것을 말해 보세요.

〈보기〉   쌀   콩   밀가루

_____ 마라카스 소리가
제일 커요.

_____ 마라카스 소리가
제일 작아요.

따뜻한 봄이 좋아요

학습 목표
• 날씨를 말할 수 있다.
• 계절의 날씨와 그 계절에 하는 놀이를 말할 수 있다.
• 좋아하는 계절과 그 이유를 말할 수 있다.

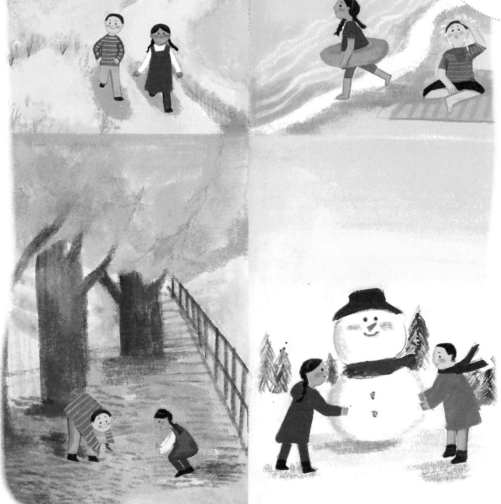

• 지금은 무슨 계절이에요? 오늘 날씨는 어때요?

• 봄, 여름, 가을, 겨울에는 무엇을 해요?

① 오늘의 날씨

1. 날씨가 어때요? 그림을 보고 이야기해 봅시다.

1) 그림을 보고 가리켜 보세요.

맑다

흐리다

바람이 불다

비가 오다

천둥 번개가 치다

눈이 오다

2) 듣고 따라 하세요. 💿 19

2. 그림을 보고 알맞은 문장을 연결해 봅시다.

비가 온 후에 맑아요.

날씨가 흐려요.

눈이 내려요.

바람이 세게 불어요.

비도 오고 바람도 불어요.

천둥 번개가 쳐요.

3. 일기 예보를 보고 이번 주 날씨를 이야기해 봅시다.

이번 주 화요일에는 날씨가 맑을 거예요.

1. 이런 날씨에 무엇을 입어요? 그림을 보고 이야기해 봅시다.

1) 그림을 보고 가리켜 보세요.

춥다   따뜻하다   덥다

시원하다   쌀쌀하다

2) 옷장 안에 무엇이 있어요? 알맞은 것에 붙임 딱지를 붙이세요. 붙임 딱지

짧은 반바지   얇은 점퍼   두꺼운 외투   노란 비옷   따뜻한 장갑

긴 장화

2. 날씨에 맞는 옷차림을 연결하고 써 봅시다.

①

②

③

•

•

•

•

•

•

날씨가 추워요.
⎯⎯⎯⎯ 외투를 입어요.
⎯⎯⎯⎯ 장갑도 껴요.

비가 와요.
⎯⎯⎯⎯ 비옷을 입어요.
⎯⎯⎯⎯ 장화도 신어요.

날씨가 더워요.
⎯⎯⎯⎯ 반바지를 입어요.
⎯⎯⎯⎯ 티셔츠도 입어요.

3. 다음과 같은 날씨에 학교에 갈 때 어떤 옷을 입으면 좋을까요? 이야기해 봅시다.

더운 날에는 시원한 옷을 입어요.
짧은 반바지와 티셔츠가 좋아요.

①

②

③

③ 여름 놀이

바다

1. 여름에 무엇을 할 수 있어요?
그림을 보고 이야기해 봅시다.

1) 그림을 보고 가리켜 보세요.

물총 놀이를 하다

물놀이를 하다

참외, 수박, 복숭아를 먹다

모래성을 쌓다

2) 듣고 따라 하세요. 🎧 20

여름에 무엇을
할 수 있어요?

물놀이를
할 수 있어요.

맛있는 수박도
먹을 수 있어요.

수영장

 계곡, 물놀이를 하다, 모래성을 쌓다, 물총 놀이를 하다, 참외, 수박, 복숭아, 튜브를 타다, 물 미끄럼틀을 타다

-을 수 있다

물 미끄럼틀을 타다

튜브를 타다

2. 여름에 할 수 있는 것은 무엇입니까? 모두 찾아봅시다.

①

②

③

④

3. 여름에 가족과 여행을 가요. 여행을 가서 할 수 있는 일을 써 봅시다.

가고 싶은 곳: -----------------------------------

할 수 있는 일: -----------------------------------

① -----------------------------------

② -----------------------------------

4 겨울 놀이

1. 겨울에 무엇을 할 수 있어요? 그림을 보고 이야기해 봅시다.

1) 듣고 따라 하세요. 💿 21

눈이 오니까 좋아.

맞아. 눈이 오면 눈사람도 만들 수 있어. 눈이 더 쌓이면 눈썰매를 타러 가자!

2) 그림을 보고 가리켜 보세요.

눈싸움을 하다

눈사람을 만들다

눈썰매를 타다

얼음낚시를 하다

스케이트를 타다

스키를 타다

눈싸움을 하다, 눈사람을
만들다, 눈썰매를 타다,
얼음낚시를 하다, 스케이트를
타다, 스키를 타다

-으면

2. 그림을 보고 문장을 연결해서 써 봅시다.

① 겨울 방학이 되면

  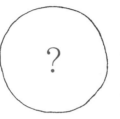

겨울 방하이 되면
〈보기〉 할머니 댁에 갈 거예요.

----

② 눈이 오면

  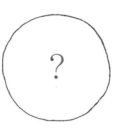

눈이 오면

----

3. 편지를 읽어 봅시다.

> 할아버지
> 잘 지내셨어요?
> 겨울 방학이 되면 할아버지 집에 갈 거예요.
> 할아버지하고 아빠하고 같이 얼음낚시를 하고 싶어요.
> 고기를 많이 잡으면 할머니도 정말 좋아하실 거예요.
> 보고 싶어요.
>
> 20○○년 12월 15일
> 아이다 올림

1) 아이다는 언제 할아버지 집에 갈까요?

2) 아이다가 할아버지 집에 가면 무엇을 할까요?

⑤ 좋아하는 계절

1. 어느 계절을 좋아해요? 그림을 보고 이야기해 봅시다.

1) 그림을 보고 가리켜 보세요.

꽃이 활짝 피다

땀이 줄줄 흐르다

단풍이 들다

손이 꽁꽁 얼다

2) 듣고 따라 하세요. 🎧 22

꽃이 피다, 땀이 흐르다,
단풍이 들다, 손이 얼다,
활짝, 줄줄, 꽁꽁

-어서

2. 그림을 보고 연결해 써 봅시다.

〈보기〉 → 시원한 물을 마셨어요.

땀이 줄줄 흘러서
시원한 물을 마셨어요.

① 날씨가 춥다 →

② → 단풍 구경을 갔어요.

3. 들어 봅시다. 💿 23

1) 지민이는 무슨 계절을 좋아해요?

　① 봄　　　② 여름　　　③ 가을　　　④ 겨울

2) 하미는 왜 가을을 좋아해요?

① 　② 　③ 　④

4. 좋아하는 계절과 이유를 친구들 앞에서 이야기해 봅시다.

6 날씨에 따라 주의할 점

1. 날씨에 따라 주의해야 할 점이 있어요. 선생님과 이야기해 봅시다.

1) 그림을 보고 가리켜 보세요.

우산을 쓰다

길이 얼다

앞이 안 보이다

미끄러지다

미세 먼지가 심하다

얇은 옷을 입다

마스크를 쓰다

감기에 걸리다

우산을 쓰다, 앞이 안 보이다,
길이 얼다, 미끄러지다,
미세 먼지가 심하다,
마스크를 쓰다,
얇은 옷을 입다,
감기에 걸리다

2. 어울리는 말을 찾아 친구와 이야기해 봅시다. 부록

1) 한 친구는 〈날씨 카드〉를, 다른 친구는 〈조심 카드〉를 가지세요.

2) 친구와 카드를 맞춰 보세요.

〈날씨 카드〉 〈조심 카드〉

비가 올 때 우산을 쓰면	미세 먼지가 심한 날에는	감기에 잘 걸려요.	앞이 잘 안 보여요.
추운 날 얇은 옷을 입으면	추운 날 길이 얼면	미끄러지기 쉬워요.	마스크를 꼭 써요.

3. 듣고 〈보기〉에서 맞는 문장을 찾아 써 봅시다. 🎧 24

〈보기〉 시원한 물을 자주 마셔요. 겉옷을 입고 오세요. 손을 깨끗하게 씻어요.

② 더울 때

----

① 아침에 학교에 올 때

----

③ 집에 돌아가면

----

7 그림일기 읽기

1. 그림일기를 읽고 날씨를 써 봅시다.

4월 13일 월요일	날씨:							
	학	교	에		갈		때	비
가		와	서		노	란		비	옷	오
을		입	고		갔	다	.		오
후	에	도		비	가		와	서
밖	에	서		놀	지		않	고
집	에		있	었	다	.		

8월 9일 목요일	날씨:							
	날	씨	가		너	무		더	워
서		짧	은		반	바	지	를
입	었	다	.		그	래	도		조
금	만		움	직	이	면		땀	이
줄	줄		흘	렀	다	.		

10월 8일 금요일	날씨:							
	바	람	이		쌩	쌩		불	어
서		내		예	쁜		모	자	가
날	아	갔	다	.		너	무		빨
리		날	아	가	서		잡	을
수		없	었	다	.		

2. 그림일기를 써 봅시다.

	12월 21일 목요일			날씨: 눈이 옴.			

	오	늘	은		눈	이		펑	펑
왔	다	.							

⑧ 일기 예보 말하기

1. 이야기를 듣고 질문에 대답해 봅시다. 💿 25

1) 오늘 날씨가 어때요?

2) 저밍은 누구일까요?

3) 내일 날씨를 알고 싶으면 무엇을 봐요?

2. 친구들과 일기 예보를 해 봅시다.

1) 날씨 그림판을 그려 보세요.

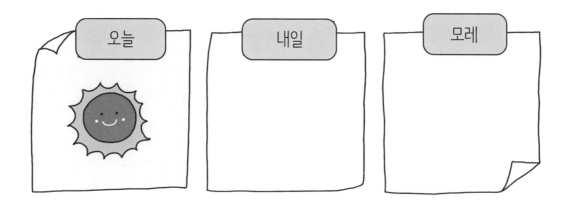

2) 일기 예보를 써 보세요.

날씨를 말씀드리겠습니다.

오늘은 구름이 없고 날씨가 맑겠습니다.

내일 날씨는 _____

_____

모레는 _____

_____

3) 친구들 앞에서 일기 예보를 발표해 보세요.

⑨ 이야기 읽기

1. 이야기를 들어 봅시다. 💿 26

해님과 바람

이솝 우화

바람이 후 하고 세게 불었어요.

남자는 외투를 더 꽉 잡았어요.
바람이 더 세게 불었어요.
하지만 남자는 옷을 벗지 않았어요.

왜 이렇게
바람이 불지?
너무 추워.

이번에는 해님 차례였어요.
해님은 더 쨍쨍 햇볕을 내리쬈어요.

정말 더워.

남자는 땀을 줄줄 흘렸어요.
그리고 마침내 외투를 벗었어요.

바람이 이 시합에서 졌어요.
그 후로 바람은 다시는 힘자랑을 하지 않았어요.

2. 소리나 모양을 흉내 내는 말을 찾아 ○표 해 봅시다.

3. 바람, 해님, 남자 그리고 해설자가 되어 읽어 봅시다.

⑩ 생각 넓히기

1. 물놀이를 할 때 조심해야 할 점입니다. 선생님과 이야기해 봅시다.

1) 맞는 것을 찾아 붙임 딱지를 붙여 보세요. 붙임 딱지

준비 운동을 해요.

물놀이 신발을 신어요.

깊은 곳에 들어가지 않아요.

바위나 돌을 조심해요.

몸이 추워지면 빨리 물에서 나와요.

어른들이 볼 수 있는 곳에서 놀아요.

2. '나의 약속'을 써 봅시다.

약속합니다.

이름: _____

저 (　　　　　　　)은/는 물놀이를 할 때

① _____ 겠습니다.

② _____ 겠습니다.

③ _____ 겠습니다.

20　　년　　월　　일

3. 친구들 앞에서 '나의 약속'을 발표해 봅시다.

5

방학에 수영을 배웠어요

학습 목표
- 방학 경험을 말할 수 있다.
- 방학 규칙을 계획하고 읽을 수 있다.
- 방학 여행에 필요한 것을 말할 수 있다.

- 친구들이 방학에 뭐 해요?
- 여러분은 방학에 뭐 했어요?

1 방학하는 날

1. 선생님과 저밍의 대화를 들어 봅시다. 💿 27

1) 다시 듣고 빈칸에 알맞은 낱말을 쓰세요.

⟨보기⟩	여름 방학	겨울 방학	개학

- _____은 7월 26일부터 8월 26일까지입니다.
- 8월 27일에 _____합니다.
- _____은 12월 24일부터 1월 28일까지입니다.

2) 저밍은 여름 방학이 끝나고 언제 학교에 와요?
   그리고 왜 그날 학교에 와요?

- _____에 개학 _____그날 학교에 와요.

2. 〈보기〉와 같이 말해 봅시다.

〈보기〉 8월 27일에 개학해요. 그러니까 그날 학교에 오세요.
➡ 8월 27일에 개하니까 그날 학교에 오세요.

① 여기는 도서실이에요. 그러니까 조용히 해요.
➡ 여기는 도서실 _____ 조용히 해요.

② 이 책은 재미있어요. 그러니까 꼭 읽으세요.
➡ 이 책은 _____ 꼭 읽으세요.

③ 7월과 8월이 너무 더워요. 그러니까 여름 방학을 해요.
➡ 7월과 8월이 너무 _____ 여름 방학을 해요.

④ 12월과 1월이 너무 추워요. 그러니까 겨울 방학을 해요.
➡ 12월과 1월이 너무 _____.

3. 다른 나라의 방학 기간을 말해 봅시다.

1) 〈보기〉를 보고 각 나라의 방학 기간을 말해 보세요.

〈보기〉
필리핀의 여름 방학은
4월부터 5월까지입니다.

나라	필리핀	베트남	독일
여름 방학	4월~5월	6월~8월	8월~10월

2) 여러분 고향의 방학 기간을 말해 보세요.

② 여름 방학

1. 문자 대화를 읽어 봅시다.

08:30 PM

> 내일 수영장 갈 때 수영모 꼭 준비해.
>
> 수영장에서 뭐 하고 싶어?

> 물 미끄럼틀 타고 싶어. 저번에 갔을 때 못 탔어. 너는 뭐 하고 싶어?

> 파도 풀에서 놀고 싶어. 파도가 칠 때 재미있어.

1) 내일 어디 가요?

2) 요우타와 리암은 무엇을 하고 싶다고 했어요?

3) 수영장 갈 때 무엇을 준비해요? 〈보기〉와 같이 말해 보세요.

〈보기〉 수영장 갈 때 수건을 준비해.

수영복

수영모

물안경

튜브

?

2. 연결해 봅시다.

① 수영장에서 다쳤을 때

② 가족을 잃어버렸을 때

③ 배가 고플 때

음식점

치료실

만남의 광장

3. 수영장 이용 규칙을 읽고 말해 봅시다.

1) 지워진 글씨를 쓰고 수영장 이용 규칙을 읽어 보세요.

수영장 이용 규칙

물에 들어 갈 때 수영모를 꼭 쓰세요.

걸어 다닐 때 미끄러지지 않게 조심하세요.

안내 방송이 나올 때 잘 들어 주세요.

튜브를 탈 때 손잡이를 꼭 잡아 주세요.

2) 수영장에서 뭘 조심해요? 친구들과 말해 보세요.

③ 방학 숙제

1. 하미의 방학 숙제입니다. 방학 숙제 안내를 읽어 봅시다.

방학 숙제 안내

〈꼭 해요!〉	나의 방학 숙제
① 일기 쓰기	V
② 날마다 운동하기	V
③ 일주일에 책 1권 읽기	V
〈선택 숙제〉(2가지 선택하기)	
① 가족과 여행하기	
② 영화나 연극 보기	V
③ 박물관이나 미술관 다녀오기	V
④ 그림 그리기나 만들기	
⑤ 내가 정하기 ( )	

1) 하미의 방학 숙제가 뭐예요?

2) 하미가 선택한 숙제가 뭐예요?

영화나 연극

박물관이나 미술관

영화, 연극, 박물관, 미술관

 이나

2. 〈보기〉와 같이 말해 봅시다.

〈보기〉

방학에 어디 가고 싶어요?
➡ 박물관이나 미술관에 가고 싶어요. (박물관, 미술관)

① 방학에 뭐 보고 싶어요?
➡ ＿＿＿＿＿＿＿＿＿ 을/를 보고 싶어요. (영화, 연극)

② 방학에 어디 가고 싶어요?
➡ ＿＿＿＿＿＿＿＿＿ 에 가고 싶어요. (바다, 산)

③ 무엇을 타고 싶어요?
➡ ＿＿＿＿＿＿＿＿＿ 을/를 타고 싶어요. (기차, 비행기)

3. 방학에 하고 싶은 숙제를 친구들에게 말해 봅시다.

나는 방학에 숙제로 종이접기나 쿠키 만들기를 하고 싶어. 너는 뭐 하고 싶어?

＿＿＿＿＿＿＿＿＿
＿＿＿＿＿＿＿＿＿

방학 규칙

1. 저밍의 방학 규칙을 읽어 봅시다.

겨울 방학 규칙

① 운동을 열심히 한다.

② 일찍 자고 일찍 일어난다.

③ 방학 숙제를 열심히 한다.

④ 동생과 싸우지 않는다.

⑤ 컴퓨터 게임 시간을 줄인다.

⑥ 위험한 놀이를 하지 않는다.

1) 저밍이 방학에 무엇을 해요? 그리고 무엇을 하지 않아요?

2) 여러분은 방학에 무엇을 가장 열심히 하고 싶어요?

일찍, 일어나다, 싸우다, 줄이다, 위험하다

-지 않다

2. 〈보기〉와 같이 대답해 봅시다.

〈보기〉 저밍이 동생과 싸워요?
➡ 아니요, 동생과 싸우지 않아요.

① 눈이 와요?
➡ 아니요, _____.

② 저밍이 책을 읽어요?
➡ 아니요, 저밍이 책을 _____.

③ 운동장에 아이들이 많아요?
➡ 아니요, 운동장에 아이들이 _____.

3. 겨울 방학 규칙을 읽어 봅시다.

겨울 방학 규칙	O, X
매일 운동을 한다.	
친구와 싸운다.	
추우니까 씻지 않는다.	
집에 들어오면 손을 씻는다.	
방학이니까 늦게 자고 늦게 일어난다.	

1) 바른 것에 ○표, 바르지 않은 것에 ✕표를 하세요.

2) 바르지 않은 방학 규칙을 바르게 말해 보세요.

⑤ 방학 여행

1. 아이다가 방학 여행을 준비합니다. 여행 준비물을 읽어 봅시다.

우산 수영복 운동화 양말 휴대 전화 모자 티셔츠 반바지 속옷 휴지

1) 아이다의 여행 준비물에 표시하고 〈보기〉와 같이 말하세요.

〈보기〉   아이다가 티셔츠랑 반바지를 준비해요.

여행 준비물	준비했어요	여행 준비물	준비했어요	여행 준비물	준비했어요
티셔츠	○	양말		운동화	
스웨터		모자		속옷	
반바지		장갑		카메라	
청바지		우산		휴대 전화	
수영복		휴지			

2) 여행 갈 때 꼭 가져가고 싶은 준비물 3개를 써 보세요.

①_____ ②_____ ③_____

2. 아이다와 엄마의 대화를 들어 봅시다. 💿 28

1) 아이다가 꼭 가져갈 준비물이 뭐예요?

2) 〈보기〉와 같이 질문에 대답해 보세요.

> 〈보기〉
> 여행을 갈 때 뭘 준비해요?
> ➡ 여행을 갈 때 양말이랑 속옷을 준비해요.

① 바다에 갈 때 뭘 준비해요?
➡ 바다에 갈 때 _____ 이랑/랑 _____ 을/를 준비해.

② 한라산에 갈 때 뭘 가져가요?
➡ 한라산에 갈 때 _____ 이랑/랑 _____ 을/를 준비해.

3. 〈보기〉와 같이 말해 봅시다.

이번 방학에 _____ 에 가고 싶어.

_____ 에 갈 때 _____ 이랑/랑 _____ .

> 〈보기〉
> 요우타: 이번 방학에 바다에 가고 싶어.
> 아이다: 바다에 갈 때 수영복이랑 모자를 가져가야 해.

6 겨울 방학에 한 일

1. 대화를 들어 봅시다. 🔘 29

1) 친구들이 겨울 방학에 무엇을 했어요?

① 저밍은 친구들과 눈싸움을 했어요.

② 지민이는 할머니 댁 _____.

③ 아비가일은 필리핀에서 할아버지 _____.

④ 요우타는 한국어 _____.

⑤ 성우는 눈썰매 _____.

2) 여러분은 겨울 방학에 고향에서 뭐 했어요?

할머니 댁에 가다,
친척을 만나다,
한국어를 배우다,
스케이트장에 가다,
스케이트를 배우다

2. 리암이 겨울 방학에 한 일을 읽고 말해 봅시다.

엄마와 스케이트장에 갔다. 다른 친구들과 스케이트를 배웠다. 선생님
손을 잡고 천천히 스케이트를 탔다. 1시간 뒤에 엄마를 만났다. "우리 리암이
잘 타네." 엄마께서 칭찬하셨다. 기분이 좋았다.

① 리암은 엄마와 스케이트장에 _____.

② 리암은 친구들과 스케이트를 _____.

③ 리암은 천천히 스케이트를 _____.

④ 리암은 스케이트를 배운 뒤에 엄마를 _____.

3. 글자판에서 겨울 방학에 할 수 있는 것을 찾아봅시다.
그리고 하고 싶은 것을 말해 봅시다.

방	비	학	스	키
눈	썰	매	케	얼
싸	사	숙	이	음
움	제	람	트	낚
해	외	여	행	시

겨울 방학에 _ _ _ _ _ _ _ _ _ _ _ _ .

⑦ 방학 일기

1. 리암의 일기를 읽어 봅시다.

20○○년 ○월 ○일 ○요일

제목: 정말 빠른 물 미끄럼틀

　드디어 요우타와 수영장에 갔다. 저번에 갔을 때 못 타서 가장
먼저 물 미끄럼틀을 탔다. 누워서 타니까 하늘을 나는 것 같았다.
정말 빠르고 재미있었다. 또 타고 싶다.

1) 리암이 방학에 뭐 했어요?

2) 리암이 왜 가장 먼저 물 미끄럼틀을 탔어요?

3) 리암이 물 미끄럼틀을 탈 때 어떤 기분이 들었어요?

2. 그림을 보고 일기를 써 봅시다.

20○○년 ○월 ○일 ○요일

제목: ------------------------------

   엄마와 어린이 도서관------------------------.
저번에 갔------------ 읽지 못한 책을 골랐다.
도서관에 예쁜 의자가 많았다. 예쁜 의자에 앉아서
책을 읽------------ 더 재미있었다.

> 〈보기〉
> 가다   -으니까   -을 때

3. 방학 일기 제목을 써 봅시다.

   1) 여러분의 방학 경험을 친구들에게 말해 보세요.

   2) 말한 내용에 알맞은 제목을 써 보세요.

8 보고서 읽기

1. 보고서를 읽고 성우의 느낌을 써 봅시다.

〈방학 숙제: 요리 만들기〉

딸기 케이크 만들기

이름: 성우

날짜: 20○○년 ○월 ○일 ○요일

과정 사진	과정 설명	느낌
	① 재료를 준비해요. 재료: 빵, 딸기, 생크림	맛이 궁금했다.
	② 빵을 반으로 잘라요.	빵이 예쁘게 잘리지 않아서 답답했다.
	③ 빵 위에 생크림을 바르고 딸기를 올려요.	딸기를 올릴 때 먹고 싶었다.

	④ 빵을 다시 올리고 생크림을 발라요.	생크림 바르는 것이 어려웠다.
	⑤ 마지막으로 딸기를 예쁘게 올려요.	내가 요리사 같았다.
	⑥ 딸기 케이크를 다 만들었어요.	다 만드니까 기분이 좋았다.

〈요리를 한 느낌〉

케이크를 만들 때 힘들었다.

빵이 _____ _____ _____ 답답했다.

생크림 _____ _____ 어려웠다.

하지만 딸기 케이크를 다 _____ 기분이 좋았다.

다음 달 엄마 생신 때도 사지 않고 내가 만들 것이다.

2. 요리를 만든 경험을 친구들에게 말해 봅시다.

⑨ 방학 이야기

1. 방학 온도계를 읽고 써 봅시다.

1) 지민이의 방학 온도계를 읽어 보세요.

온도	경험
아주 높음	가족과 함께 해외여행을 다녀왔다.
높음	친구와 놀이공원에 갔다.
낮음	동생과 싸웠다.
아주 낮음	친한 친구가 이사를 갔다.

좋은 경험은 높은 온도에 쓰고,
나쁜 경험은 낮은 온도에 써요.

2) 여러분의 방학 온도계를 써 보세요.

온도	경험
아주 높음	
높음	
낮음	
아주 낮음	

2. 방학을 어떻게 보내고 싶은지 알아봅시다.

1) 대답하세요.

방학은 이렇게!

1) 방학에 몇 시에 일어나고 싶어요?

① 오전 8시 이전　　② 오전 8시~9시　　③ 오전 9시~10시

④ 오전 10시 이후　　⑤ 다른 생각 (　　　　　　　　　)

2) 방학 동안 가장 하고 싶은 일이 뭐예요?

① 가족과 여행 가기　　② 늦잠 자기

③ 영화관에서 영화 보기　　④ 컴퓨터 게임하기

⑤ 친구들과 놀기　　⑥ 다른 생각 (　　　　　　　　　)

3) 방학 때 가고 싶은 곳이 어디예요?

① 수영장　　② 바다　　③ 계곡　　④ 놀이공원

⑤ 스키장　　⑥ 스케이트장　　⑦ 해외

4) 방학 때 하고 싶은 운동은 뭐예요?

① 수영　　② 배드민턴　　③ 축구　　④ 태권도

⑤ 농구　　⑥ 탁구　　⑦ 야구

2) 결과를 친구들과 비교해 보세요.

⑩ 생각 넓히기

1. 방학에 여행하기 좋은 곳입니다. 읽고 가리켜 봅시다.

2. 친구들의 한국 여행 경험을 읽어 봅시다.

설악산에 갔어요.
계곡이 아름다워서 사진을 많이 찍었어요.

성우

부여 박물관에 갔어요.
한국의 옛날 물건을 처음 봤어요.

하미

여수에서 케이블카를 탔어요. 케이블카에서
바다를 봤어요. 바다가 정말 멋있었어요.

리암

해운대 바다에서 물놀이를 했어요.
파도가 칠 때 재미있었어요.

요우타

제주도에 갔어요. 한라산 근처에서
귤을 따 먹었어요. 정말 맛있었어요.

아이다

3. 방학 여행이나 한국 여행 경험을 말해 봅시다.

떡볶이를 먹어 봤어요

학습 목표
• 맛을 표현할 수 있다.
• 요리법을 말할 수 있다.
• 음식 먹는 방법을
  말할 수 있다.

• 한국 음식 중에서 무슨 음식을 잘 먹어요?

• 오늘 급식 시간에 무엇을 먹었어요? 맛이 어땠어요?

① 음식과 맛

1. 여러 가지 음식의 맛을 이야기해 봅시다.

1) 어떤 맛일까요? 그림을 보고 가리켜 보세요.

짜다   싱겁나

달다

쓰다

시다

맵다

2) 듣고 따라 하세요. 💿 30

하미: 엄마, 뭐 만드세요?

엄마: 불고기를 만들고 있어.

하미: 불고기는 무슨 맛이에요?

엄마: 짠맛도 나고 단맛도 나.

한번 먹어 봐.

2. 그림을 보고 질문에 답해 봅시다.

| 약 | 도넛 | 레몬 | 떡볶이 | 김치찌개 | 햄 |

1) 이 음식은 맛이 어때요?

2) 이 음식을 먹어 봤어요?

3. '먹어 봤어요' 빙고 게임을 해 봅시다.

〈놀이 방법〉 ① 여러분이 지금까지 먹은 한국 음식을 써 보세요.
② 친구들이 말한 음식이 나오면 "먹어 봤어요."라고 말해요.
그리고 음식 이름에 X표 하세요.
③ 모든 음식에 X표 하면 "다 먹어 봤어요."라고 말해요.

	된장찌개				

② 여러 가지 음식

1. 좋아하는 음식, 싫어하는 음식이 무엇인지 이야기해 봅시다.

1) 무슨 음식이 있어요? 그림을 보고 가리켜 보세요.

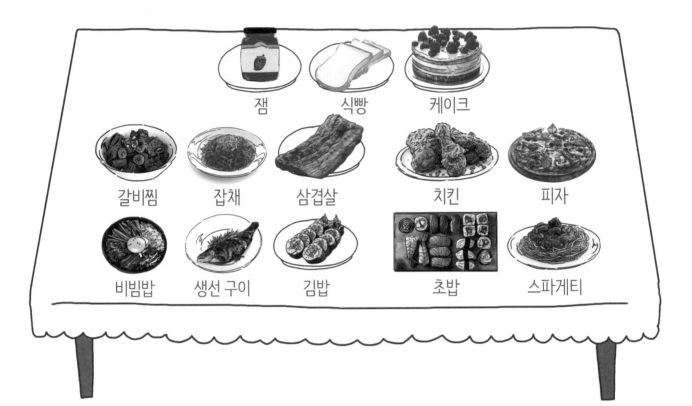

잼 · 식빵 · 케이크
갈비찜 · 잡채 · 삼겹살 · 치킨 · 피자
비빔밥 · 생선 구이 · 김밥 · 초밥 · 스파게티

2) 듣고 따라 해 보세요. 🔘 31

내가 좋아하는 음식은 비빔밥이야.

내가 싫어하는 음식은 생선 구이야.

많이 먹으면 뚱뚱해지는 음식은 치킨이야.

내가 못 먹는 음식은 삼겹살이야.

2. 〈보기〉와 같이 이야기해 봅시다.

자주 먹는 음식이 뭐야?

내가 자주 먹는 음식은
초밥이야.

〈보기〉 내가 자주 먹는 음식	① 급식 시간에 자주 나오는 음식	② 엄마가 잘 만드시는 음식
③ 빵집에서 파는 것	④ 슈퍼마켓에서 살 수 있는 것	⑤ 내가 안 좋아하는 음식

3. 음식 카드를 만들어 친구와 이야기해 봅시다. 부록

뒷면

케이크

생일에 먹는 것

앞면

요우타, 그거 뭐야?

이건 생일에
먹는 케이크야.

1) 카드의 앞면에는 음식을 그리고 음식 이름을 써 보세요.

2) 카드의 뒷면에는 음식 설명을 써 보세요.

3) 음식 카드를 가지고 친구와 이야기해 보세요.

③ 음식 먹는 방법

1. 음식 먹는 방법에 대해 이야기해 봅시다.

1) 음식을 어떻게 먹을까요? 그림을 보고 가리켜 보세요.

2) 듣고 따라 하세요. 💿 32

하미: 엄마, 삼겹살은 어떻게 먹어요?
엄마: 상추에 고기를 싸서 먹는 거야.
하미: 그럼 만두는요?
엄마: 만두는 간장에 찍어서 먹으면 맛있어.

2. 어떻게 먹을까요? 알맞은 말을 연결하고 써 봅시다.

① 비비다　② 바르다　③ 싸다　④ 찍다　⑤ 뿌리다

달걀과 밥을	빵에 버터를	삼겹살을 상추에	초밥을 간장에	피자에 치즈 가루를
------------	------------	------------	------------	------------
먹어요.	먹어요.	먹어요.	먹어요.	먹어요.

3. 세계 여러 나라의 음식입니다. 먹는 방법을 이야기해 봅시다.

중국 딤섬 　　 인도 카레

일본 초밥 　　 이탈리아 피자

④ 요리법

1. 여러 가지 음식을 만드는 방법을 이야기해 봅시다.

1) 그림을 보고 가리켜 보세요.

볶다

굽다　섞다　자르다　끓이다　삶다

2) 삶은 달걀 샌드위치를 만드는 방법을 들어 보세요. 💿 33

안녕하세요. 오늘은 삶은 달걀 샌드위치를 만들 거예요.
먼저 물을 끓여요. 끓인 물에 달걀을 넣고 삶아요. 삶은 달걀을 작게 잘라요.
당근도 작게 잘라 주세요. 달걀, 당근, 설탕, 마요네즈를 섞어 주세요.
빵에 섞은 재료를 발라 주세요. 반으로 자른 빵을 예쁘게 접시에 놓으세요.
자, 이제 맛있게 드세요.

2. 알맞은 말을 넣어 봅시다.

● 물을 ① _ _ _ _ _ _ _ _ _ _ _ _ _
● 끓인 물에 달걀을 넣어요.
● 달걀을 ② _ _ _ _ _ _ _ _ _ _

● 삶은 달걀을 작게
  ③ _ _ _ _ _ _ _ _ _ _

● 당근도 작게
  ④ _ _ _ _ _ _ _ _

● 잘라 놓은 달걀과 당근에
  설탕과 마요네즈를 넣어요.
● 모두 ⑤ _ _ _ _ _ _ _ _ _

● 빵에 섞은 재료를
  발라 주세요.

● 자른 빵을 접시에
  예쁘게 놓아요.

3. 오늘의 급식 식단을 보고 알맞은 요리법을 써 봅시다.

오늘의 식단 7월 5일 월요일	
밥 ① 된장국 ② 볶음 우동 ③ 생선 구이 ④ 삶은 감자 김치 사과, 우유	① _ _ _ _ _ _ ② _ _ _ _ _ _ ③ _ _ _ _ _ _ ④ _ _ _ _ _ _

1. 생일 파티를 준비하는 성우의 이야기를 읽어 봅시다.

1) 성우의 생일에 무엇을 할까요? 들어 보세요. 💿 34

내일은 제 생일이에요.
내일 우리 집에서 생일 파티가 있어요.
그래서 친구들이 우리 집에 와요.

엄마와 같이 마트에 왔어요.
친구들과 같이 먹을 과자를 샀어요.
같이 마실 주스와 우유도 샀어요.
친구들에게 줄 수첩도 샀어요.

엄마가 내일 요리를 하실 거예요.
엄마가 제 생일에 만들 음식은
미역국과 잡채예요.
피자와 치킨은 살 거예요.

친구들과 같이 할 보드게임도 샀어요.
친구들과 같이 놀 생각을 하니까
정말 신나요.

2. 다시 읽고 맞는 것을 찾아 ○표 해 봅시다.

1) 내일 친구들과 먹을 것은 뭐예요?

2) 내일 친구들에게 줄 것은 뭐예요?

3) 내일 엄마가 만들 음식은 뭐예요?

4) 내일 파티에서 친구들과 같이 할 것은 뭐예요?

3. 나의 생일 파티에 준비할 것을 친구와 말해 봅시다.

1) 준비할 것을 써 보세요.

<보기>
친구들이 오기 전에
할 일은 청소하는 거예요.

같이 먹을 간식은

----------------- .

엄마가 만들 요리는

----------------- .

----------------- .

2) 생일 파티에 준비할 것을 친구와 이야기해 보세요.

6 급식 시간

1. 급식 시간에 할 일을 알아봅시다.

1) 들어 보세요. 💿 35

지민: 하미야, 음식이 흘러. 식판을 잘 들어.
하미: 고마워. 음식이 흐르는 줄 몰랐어.
지민: 밥과 국을 받을 때는 식판을 돌려.
하미: 응. 그런데 반찬을 더 먹고 싶을 때는 어떻게 말해?
지민: "반찬 좀 더 주세요."라고 말해.

2) 그림을 보고 가리켜 보세요.

식판을 들다

식판을 돌리다

음식이 흐르다

배식대

국 좀 더 주세요.

_____ 더 주세요.

2. 그림을 보고 알맞은 말을 넣어 봅시다.

①

식판을 한 손으로
____지
않아요.

②

음식을 받을 때
앞사람을 밀면
음식이 ____.

③

밥과 국을 받을
때는 식판을
____.

④

음식을 다 받은 후
식판을 돌리지 마세요.
국이 흐르면 뜨거워요.

⑤

음식을 더 먹고 싶으면
"국 좀 더 ____."
"고기 좀 더 ____."
라고 말해요.

3. 여러분은 급식실에서 어떻게 합니까? 친구와 이야기해 봅시다.

⑦ 놀면서 말하기

1. '음식 이름 말하기' 놀이를 해 봅시다.

1) **'음식 이름 잇기' 놀이**
앞 친구가 말한 음식에 이어서 다른 음식 이름을 말해요.
예) 한국 음식에는 김치도 있고, 된장찌개도 있고……

2) **'음식 이름 쿵쿵따' 놀이**
음식 중에서 세 글자로 된 음식의 이름을 말해요.
예) 불고기 쿵쿵따, 핫도그 쿵쿵따, ○○○ 쿵쿵따……

2. 선생님이 보여 주시는 카드를 보고 비슷한 점을 말해 봅시다.

레몬이랑 파인애플은 신맛이 나요.

① 약   커피

② 떡볶이   김치찌개

③ 라면   된장찌개

④ 비빔밥   카레

3. 음식 카드를 만들어 친구와 이야기해 봅시다

1) 3장의 빈 카드를 가지세요. 부록

2) 카드 앞면에는 설명을 쓰고 뒷면에는 음식 이름을 쓰세요.

아빠가
좋아하시는 음식

불고기

앞면   뒷면

3) 친구 카드의 앞면을 보고 친구에게 질문해 보세요.

요우타, 아빠가 좋아하시는
음식이 뭐야?

우리 아빠가 좋아하시는
음식은 불고기야.

요우타, 어제 먹은
음식은 뭐야?

어제 먹은 건 햄버거야.

⑧ 좋아하는 음식 설명하기

1. 하미가 좋아하는 음식을 들어 봅시다. 💿36

1) 하미가 무슨 음식에 대해 이야기해요?

①　　　　　　　　　　②

③　　　　　　　　　　④

2) 엄마가 만든 떡볶이는 왜 많이 맵지 않아요? 맞는 것에 ○표 하세요.

① 고추장을 넣어서 맵지 않아요.

② 케첩을 넣어서 맵지 않아요.

③ 우유랑 같이 먹어서 맵지 않아요.

2. 내가 좋아하는 음식 이름을 쓰고 그려 봅시다.

내가 좋아하는 음식 : _____

① 좋아하는 음식이 뭐예요? _____

② 맛이 어때요? _____

③ 무엇으로 만들어요? _____

④ 어떻게 먹어요? _____

3. 내가 좋아하는 음식을 친구들에게 소개해 봅시다.

제가 좋아하는 음식은 떡볶이예요.
조금 매워요. 그렇지만 아주 맛있어요.
떡볶이는 떡과 어묵에 고추장과 설탕을 넣어서
만들어요. 튀김과 같이 먹으면 더 맛있어요.
친구들도 떡볶이를 먹어 보세요.

⑨ 시 읽기

1. 시를 들어 봅시다. 🎧37

몰래 몰래 먹으면

김준범

달콤달콤 초콜릿
엄마 몰래 냠냠

새콤달콤 오렌지 주스
아빠 몰래 꿀꺽꿀꺽

아이 뜨거! 라면도
동생 몰래
후후 불어
후루룩후루룩

아이! 배 아파
꾸르륵꾸르륵

맛있는 건
몰래 말고
다 같이 냠냠

2. 음식을 먹을 때 나는 소리나 모양을 흉내 내는 말을 알아봅시다.

1) 그림에 알맞은 말을 〈보기〉에서 찾아 쓰세요.

〈보기〉   꾸르륵꾸르륵   냠냠   꿀꺽꿀꺽   후루룩후루룩

① 아이가 음식을
_____ 맛있게 먹어요.

② 물이나 음료수를
_____ 마셔요.

③ 국수를
_____ 먹어요.

④ 배가 아파서 뱃속에서
_____ 소리가 나요.

2) 1에서 소리나 모양을 흉내 내는 말을 찾아서 ○표 해 보세요.

3. 소리나 모양을 흉내 내는 말을 생각하며 다시 시를 읽어 봅시다.

⑩ 생각 넓히기

1. 특별한 날 먹는 한국의 음식입니다. 읽어 봅시다.

생일에 먹는 음식 – 미역국

한국 사람들은 생일에 미역국을 먹어요.
엄마가 아이를 낳은 후에 미역국을 먹어요.

설날 먹는 음식 – 떡국

1월 1일 설날이 되면 가족과 함께 떡국을 먹어요.
떡국을 먹어야 나이를 한 살 더 먹는다고 생각해요.

동지에 먹는 음식 – 팥죽

동지는 1년 중 밤이 가장 긴 날이에요. 동짓날에는
팥을 넣어 만든 팥죽을 먹어요. 귀신이 붉은색을 싫
어해서 귀신을 쫓을 수 있다고 생각해요.

추석에 먹는 음식 – 송편

음력 8월 15일 추석이 되면 가족들이 모여서 송편
을 빚어서 먹어요. 송편을 예쁘게 빚으면 예쁜 아이
를 낳는다는 말이 있어요.

2. 언제 먹는 음식인지 써 봅시다.

①

②

③

④

3. 특별한 날 먹는 세계 여러 나라의 음식입니다. 읽어 봅시다.

장수면 – 중국

중국에서 생일에 먹는 음식이에요.
장수면은 긴 면을 끊지 않고 한 번에 먹어야 해요.
그러면 오래 살 수 있다는 말이 있어요.

오세치 – 일본

일본에서 1월 1일 설날에 먹는 음식이에요.
오세치는 연근, 우엉, 새우, 콩으로 만들어요.
그리고 설날이 되기 전에 미리 요리를 준비해요.

칠면조와 호박 파이 – 미국

미국에서 추수 감사절에 먹는 음식이에요.
가족이 다 같이 모여서 칠면조와 호박 파이를 먹어요.

반쭝투 – 베트남

베트남의 추석인 쭝투에 먹는 음식이에요.
빵 속에 달걀이나 돼지고기를 넣어요.

4. 부모님 나라의 음식 중에서 특별한 날 먹는 음식을 소개해 봅시다.

7

이게 얼마예요?

학습 목표
- 물건 가격을 묻고 답할 수 있다.
- 가게에서 물건 사는 표현을 말할 수 있다.
- 마음에 드는 장난감을 설명할 수 있다.

12색 물감 있어요?

이 과자 얼마예요?

- 문구점에 무엇을 사러 갔어요?
- 간식을 먹고 싶을 때 어디에서 사요?

① 물건 가격

1. 한국의 돈을 알아봅시다.

1) 얼마예요? 그림을 보고 가리켜 보세요.

동전	지폐
십 원	천 원
오십 원	오천 원
백 원	만 원
오백 원	오만 원

2) 듣고 따라 하세요. 🎧 38

> 아줌마, 이 사탕 얼마예요?
>
> 오백 원이야.
>
> 사탕

2. 그림을 보고 〈보기〉와 같이 값을 묻고 대답해 봅시다.

1) 값을 물어보세요.

〈보기〉 300원 삼백원

가: 지우개가 얼마예요?
나: 300원이에요.

① 600원

② 900원

③ 2000원

④ 8000원

⑤ 35000원

2) 물건의 값을 한글로 써 보세요.

3. 내 물건이 얼마인지 친구와 이야기해 봅시다.

1) 물건값을 종이에 써 보세요.

2) 친구와 물건값을 묻고
   대답해 보세요.

② 물건을 살 수 있는 곳

1. 물건을 살 수 있는 곳을 알아봅시다.

1) 그림을 보고 가리켜 보세요.

슈퍼마켓

편의점

시장

마트

백화점

2) 듣고 따라 하세요. 39

넌 어디에서
아이스크림을 사?

나는 슈퍼마켓에서
아이스크림을 사.
슈퍼마켓이 편의점보다
집에서 가까워.

슈퍼마켓, 편의점, 시장,
마트, 백화점

보다

2. 〈보기〉와 같이 이야기해 봅시다.

〈보기〉
> 마트 〉 슈퍼마켓: 물건이 다양하다
>
> ➡ 마트가 슈퍼마켓보다 물건이 다양해요.

① 편의점 〉 슈퍼마켓: 집에서 가깝다
➡ _____

② 편의점 〉 슈퍼마켓: 늦게까지 한다
➡ _____

③ 시장 〉 슈퍼마켓: 물건값이 싸다
➡ _____

④ 백화점 〉 시장: 물건값이 비싸다
➡ _____

3. 다음을 살 수 있는 곳을 친구들과 이야기해 봅시다.

①
②
③

저는 엄마와 같이
시장에 가서 과일을 사요.
시장은 마트보다 과일이 많아요.

문구점에서 학용품 사기

1. 문구점에 무엇을 사러 갔어요? 이야기해 봅시다.

1) 문구점에 무엇이 있어요? 그림을 보고 가리켜 보세요.

| 스카치테이프 | 도화지 | 물감 | 연필깎이 | 실내화 | 신발주머니 |

2) 듣고 따라 하세요. 💿 40

주인: 어서 오세요.
리암: 안녕하세요. 알림장 두 권 주세요.
　　　얼마예요?
주인: 1000원이에요.
리암: 돈 여기 있어요.

2. 〈보기〉와 같이 대화해 봅시다.

〈보기〉

어서 오세요.

스카치테이프 2개 주세요. 얼마예요?

모두 2000원이에요.

돈 여기 있어요.

① 빨간 색연필
2자루
1000원

② 흰색 도화지
3장
600원

③ 12색
물감
4500원

④ 실내화
1켤레
8000원

3. 다음 질문에 대답하고 문구점 주인과 손님이 되어 이야기해 봅시다.

어서 오세요.

공책 한 권 주세요.

질 문	대 답
1) 무엇을 살 거예요?	
2) 얼마나 살 거예요?	
3) 하나에 얼마예요?	
4) 모두 얼마예요?	

④ 슈퍼마켓에서 물건 사기

1. 간식을 살 때 어떻게 말하는지 알아봅시다.

1) 그림을 보고 가리켜 보세요.

계산하다

봉지에 넣다

돈을 내다

거스름돈을 받다

영수증을 받다

2) 듣고 따라 하세요. 💿 41

저밍: 아이스크림 3개 계산해 주세요.

주인: 모두 1500원이에요. 봉지에 넣어 줄까요?

저밍: 네, 봉지에 넣어 주세요.

주인: 여기 거스름돈 500원 있어요. 영수증 줄까요?

저밍: 네, 영수증 주세요. 감사합니다.

주인: 또 오세요.

계산하다, 봉지에 넣다,
돈을 내다, 거스름돈을
받다, 영수증을 받다

 -을까요?

2. '과자 주세요' 게임을 해 봅시다. 부록

뭐 줄까요?

과자 주세요.

<보기>　사탕　초콜릿　과자　젤리　핫도그　컵라면　주스

① 카드에 가게에서 살 수 있는 간식 3가지를 써 보세요.

② 친구에게 "뭐 줄까요?" 하고 물어보면서 간식 카드를 보여 주세요.

③ 친구는 카드를 보고 "＿＿＿＿＿ 주세요"라고 대답하세요.

3. 주인과 손님이 되어 물건을 사고팔아 봅시다.

1) 순서에 맞게 대화를 만들어 보세요.

① 인사하기	
② 사고 싶은 물건 말하기	
③ 가격 물어보기	
④ 계산 부탁하기	
⑤ 봉지 부탁하기	
⑥ 돈 내고 거스름돈 받기	
⑦ 인사하기	

2) 주인과 손님이 되어 친구와 이야기해 보세요.

5 장난감 고르기

1. 어떤 장난감을 좋아하는지 이야기해 봅시다.

1) 듣고 따라 하세요. 🔘 42

아빠: 장난감 하나 골라 봐.
리암: 이 로봇은 멋있지만
　　　색깔이 마음에 안 들어요.
아빠: 그럼 이 자동차는 어때?
리암: 좋아요. 그건 마음에 들어요

2) 그림을 보고 가리켜 보세요.

고르다

마음에 들다

마음에 안 들다

2. 다음 장난감은 어떻습니까? 〈보기〉와 같이 이야기해 봅시다.

〈보기〉

멋있다/색깔이 마음에 안 들다

➡ 멋있지만 색깔이 마음에
안 들어요.

① 다양한 모양이 있다/
크기가 작다

② 작다/내가 좋아하는
색깔이다

③ 멋있다/너무 크다

④ 예쁘다/조금 비싸다

3. 좋아하는 장난감을 친구에게 이야기해 봅시다.

내가 좋아하는 장난감

● 무슨 장난감이에요?
● 누가 사 주셨어요?
● 왜 그 장난감을 좋아해요?

제가 좋아하는 장난감은
빨간색 자동차예요.
할머니가 사 주신 장난감이에요.
크기가 조금 작지만
자동차 모양이 정말 멋있어요.

6 용돈

1. 용돈에 대한 말을 배워 봅시다.

1) 그림을 보고 가리켜 보세요.

용돈을 받다

용돈을 쓰다

용돈을 모으다

용돈 기입장

2) 요우타의 이야기를 읽어 보세요.

저는 어머니께 일주일에 한 번 5000원을 받아요.
아이다는 3000원을 받고 성우는 4000원을 받아요.
저는 용돈을 많이 받는 편이에요.
용돈을 받으면 친구와 같이 간식을 사 먹어요.
가끔 제가 친구에게 사 줘요.

2. 친구에게 용돈에 대해 질문해 봅시다.

1) 친구에게 물어보고 써 보세요.

질문	친구 1	친구 2	나
〈보기〉 용돈을 얼마 받아?	1000원	2000원	4000원
① 일주일에 간식을 몇 번 사 먹어?			
② 일주일에 슈퍼마켓에 몇 번 가?			
③ 용돈을 얼마 모아?			

2) 1)을 보고 다음과 같이 말해 봅시다.

저는 일주일에 용돈을 4000원 받아요.
저는 용돈을 많이 받는 편이에요.

3. 아비가일과 엄마의 대화를 들어 봅시다. 📀 43

1) 아비가일은 용돈을 얼마 받았어요?

① 2000원　　② 3000원　　③ 4000원　　④ 5000원

2) 아비가일은 용돈을 모아서 어디에 쓸까요?

① 아이스크림을 사 먹을 거예요.　② 엄마 생신 선물을 살 거예요.

③ 책을 사서 하미에게 줄 거예요.　④ 동생 선물을 살 거예요.

1. 엄마가 아이다에게 쓴 쪽지를 읽고 대답해 봅시다.

1) 읽어 보세요.

> 아이다, 학교 잘 갔다 왔니?
> 오늘 엄마가 약속이 있어서 조금 늦을 거야.
> 슈퍼마켓에 가서 간식을 사 먹어.
> 주스보다는 우유가 건강에 좋으니까 우유를 사.
> 그리고 네가 좋아하는 과자도 두 봉지 사.
> 봉지에 넣어서 오고 영수증도 꼭 받아.
> 돈은 식탁 위에 있어.
> 이따가 봐.
>
> 엄마가

2) 아이다는 무엇을 할지 맞는 것에 모두 ○표 해 보세요.

① 슈퍼마켓에 가서 간식을 살 거예요.

② 약속이 있어서 늦게 올 거예요.

③ 주스 한 병과 과자를 살 거예요.

④ 영수증을 받아 올 거예요.

2. 슈퍼마켓에 간 아이다와 주인의 대화를 연습해 봅시다.

 어서 오세요.

 안녕하세요.

 우유는 어디에 있어요?

 저쪽에 있어요.

 큰 우유 하나하고 과자 두 봉지 계산해 주세요.

 모두 3000원이에요.

 여기 5000원 있어요.

 거스름돈 2000원 여기 있어요.

 봉지에 넣어 줄까요?

 네, 봉지에 넣어 주세요.

 영수증 줄까요?

 네, 영수증 주세요.

 감사합니다. 안녕히 계세요.

 잘 가요.

3. 짝과 물건을 사는 대화를 해 봅시다.

오렌지 주스 두 병
2000원

초콜릿 한 개
1000원

낸 돈: 5000원
거스름돈: 2000원

사과 세 개
2500원

아이스크림 두 개
1000원

낸 돈: 4000원
거스름돈: 500원

8 알뜰 시장 놀이

1. 알뜰 시장 행사 안내문을 읽어 봅시다.

1) 안내문을 읽어 보세요.

제5회 나래초등학교 알뜰 시장 행사

1. 언제: 4월 29일 금요일
2. 어디서: 교실
3. 누가: 나래초등학교 학생 모두
4. 준비물: 10개 정도의 물건(학용품, 책, 장난감, 생활용품)
5. 알뜰 시장 일정

1교시	가게 이름 정하기, 물건 가격 정하기, 가격표 붙이기
2교시	알뜰 시장 하기
3교시	교실 정리

모두 가게 주인이 되어 보세요.

2) 안내문을 읽고 맞는 것에 ○표 하세요.

① 4월 29일 금요일에 알뜰 시장이 열려요. ☐ 네 ☐ 아니요

② 운동장에서 알뜰 시장을 해요. ☐ 네 ☐ 아니요

③ 한 사람이 10개쯤 물건을 준비해요. ☐ 네 ☐ 아니요

④ 연필이나 공책을 팔아도 돼요. ☐ 네 ☐ 아니요

2. 친구들과 같이 알뜰 시장 놀이를 해 봅시다.

1) 같이 물건을 팔 친구를 정해요.

- 누구와 같이 알뜰 시장에서 물건을 팔 거예요?

2) 팔고 싶은 물건을 정해요.

- 무엇을 팔 거예요?

3) 팔 물건의 값을 정하고 가격표를 만들어요.

- 물건의 값은 얼마예요?

4) 친구에게 물건을 팔아 보세요.

- 무엇을 팔았어요?

- 모두 얼마를 벌었어요?

⑨ 용돈 기입장 쓰기

1. 들고 빈칸에 알맞은 낱말을 〈보기〉에서 찾아 써 봅시다. 💿 44

〈보기〉

용돈   떡볶이   햄버거   3000원   10000원

날짜	내용	들어온 돈	나간 돈	남은 돈
9월 1일	①	②		10000
9월 5일	친구 생일 선물		③	7000
9월 7일	공책		1000	6000
9월 10일	④		2000	4000
9월 12일	⑤		3000	1000

2. 이번 달 용돈 기입장을 써 봅시다.

날짜	내용	들어온 돈	나간 돈	남은 돈
월 일				
월 일				
월 일				
월 일				
월 일				

1) 이번 달에 받은 용돈은 얼마예요?

2) 무엇에 돈을 가장 많이 썼어요?

3) 용돈이 얼마 남았어요?

1. 한국에서 유명한 전통 시장은 어디일까요? 찾아봅시다.

남대문 시장

동대문 시장

2. 시장에서는 무엇을 많이 팔까요? 〈보기〉에서 찾아 써 봅시다.

〈보기〉	생선	조개	채소	꽃	옷	곡식

구리 농산물 시장

농산물 시장

부산 자갈치 시장

수산물 시장

양재 꽃 시장

꽃 시장

동대문 의류 시장

의류 시장

3. 우리 동네의 전통 시장을 조사해 봅시다.

1) 우리 동네 전통 시장의 이름을 써 보세요.

2) 우리 동네 시장에 무슨 가게가 있는지 써 보세요.

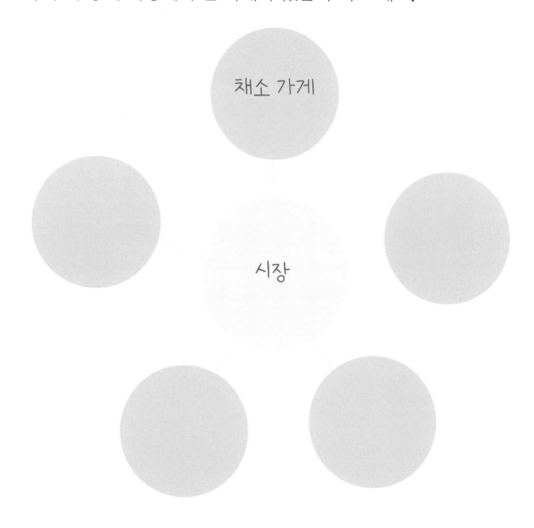

3) 시장에서 무엇을 샀는지 친구들과 이야기해 보세요.

8

차례를 지켜야 해요

학습 목표
- 식사 예절을 말할 수 있다.
- 친구 집 방문 예절을 말할 수 있다.
- 공공장소에서의 예절을 말할 수 있다.

- 할아버지, 할머니와 같이 밥을 먹을 때 어떻게 해요?
- 많은 사람들이 같이 이용하는 곳은 어디예요?

① 식사 예절

1. 식사할 때 예절에 대해 알아봅시다.

1) 그림을 보고 가리켜 보세요.

예절을 지키다

어른

기다리다

다 맛있어.

골고루 먹다

예절을 안 지키다

쩝쩝!

소리를 내다

뒤적거리다

2) 듣고 따라 하세요. 💿 45

식사할 때 지켜야
하는 예절이 있어요?

또 다른 예절은요?

어른이 식사를 시작할 때까지
기다려야 해요.

밥을 먹을 때 소리를
내지 않아야 해요.

2. 그림에 맞는 식사 예절을 찾아 연결해 봅시다.

잘 먹었습니다.

다 맛있어.

| 밥 먹기 전에 손을 씻어야 해요. | 음식을 뒤적거리지 않아야 해요. | 음식을 골고루 먹어야 해요. | 다 먹은 후에 감사 인사를 해야 해요. |

3. 〈보기〉와 같이 친구들에게 바른 식사 예절을 말하고 써 봅시다.

〈보기〉 배가 고프니까 빨리 밥 먹자.

밥 먹기 전에 손을 씻어야 해.

① 나는 채소는 싫어! 고기만 먹을 거야.

② 할아버지가 드시기 전에 먼저 먹어야지.

③ 와, 맛있다. 쩝쩝!

② 친구 집 방문 예절

1. 친구 집에 갈 때 지켜야 하는 예절을 알아봅시다.

1) 그림을 보고 가리켜 보세요.

여보세요.	
전화하다	양말을 신다

먹어도 돼요?
응, 먹어도 돼.
이게 뭘까?

허락을 받다
만지다

아침
이른 아침

밤
늦은 저녁

2) 아이다가 엄마와 이야기해요. 듣고 따라 하세요. 🔘 46

엄마, 요우타 집에서
놀다 올게요.

그래. 그런데 양말을 안 신었어?
친구 집에 갈 때는
양말을 신는 게 좋아.

네, 알겠어요.

전화하다, 양말을 신다,
허락을 받다, 만지다,
이른 아침, 늦은 저녁

−는 게 좋다

2. 친구 집을 방문할 때 지켜야 하는 예절을 읽어 봅시다.

1) 방문 예절을 읽어 보세요.

① 친구 집에 가기 전에 미리 전화를 하는 게 좋아요.

② 맨발로 가지 않고 양말을 신는 게 좋아요.

③ 친구 부모님을 만나면 인사를 잘 해야 해요.

④ 친구 부모님의 허락을 받고 친구 집 물건을 만져야 해요.

⑤ 이른 아침이나 늦은 저녁에는 가지 않는 게 좋아요.

2) 방문 예절을 잘 지킨 친구는 ☺에 예절을 안 지킨 친구는 ☹에 색칠해 보세요.

3. 친구 집에 갈 때 예절을 잘 지켰나요? 친구들 앞에서 이야기해 봅시다.

③ 공공장소

1. 많은 사람들이 같이 이용하는 장소에서 지켜야 하는 예절을 알아봅시다.

1) 공공장소예요. 그림을 보고 가리켜 보세요.

도서관

음식점

영화관

버스 정류장

지하철역

기차역

공항

차례를 지키다

뛰어다니다

조용히 (하다)

시끄럽게 (하다)

2) 1)의 장소 중에서 가 본 곳에 ○표 해 보세요.

2. 공공장소와 거기에서 지켜야 하는 예절을 말해 봅시다.

1) 여기는 어디일까요? 써 보세요.

① 음식을 사 먹는 곳이에요.

② 기차를 타는 곳이에요.

③ 책을 읽거나 빌리는 곳이에요.

④ 비행기를 타는 곳이에요.

⑤ 버스를 기다리는 곳이에요.

2) 공공장소에서 예절을 잘 지킨 친구에게 ○표, 예절을 지키지 않은 친구에게 X표 하세요.

① 식당에서 뛰어다녀요.

② 도서관에서 조용히 책을 봐요.

③ 버스 안에서 시끄럽게 해요.

④ 지하철을 탈 때 차례를 지켜요.

3. 우리 동네에 있는 공공장소를 이야기하고 그곳에서 지켜야 할 예절을 친구들과 이야기해 봅시다.

④ 놀이터 예절

모래를 던지다

싸우다

1. 놀이터에서 지켜야 하는 예절에 대해 이야기해 봅시다.

1) 그림을 보고 가리켜 보세요.

너 먼저 그네를 타.

양보하다

2. 저밍이 놀이터에서 지켜야 하는 예절을 〈보기〉와 같이 쓰고 말해 봅시다.

〈보기〉	친구에게 모래를 던지지 마.	네, 친구에게 모래를 던지지 않을게요.
①	미끄럼틀에서 거꾸로 올라가면 친구에게 부딪혀.	
②	벽에 낙서하는 건 나빠.	
③	친구와 싸우지 마.	
④	혼자만 타지 마. 서로 양보해야 해.	

모래를 던지다, 싸우다, 양보하다, 사과하다, 거꾸로 올라가다, 부딪히다, 낙서하다

-을게요

3. 놀이터에서 지켜야 하는 예절을 읽고 친구들 앞에서 약속해 봅시다.

1) 읽어 보세요.

① 미끄럼틀에서 거꾸로 올라가지 않아요. 계단으로 올라가요.

② 친구에게 모래를 던지지 않아요.

③ 놀이 기구에 낙서하지 않아요.

④ 놀이터에서 친구와 싸우지 않아요.

⑤ 놀이 기구를 혼자만 계속 타지 않아요. 서로 양보해요.

2) 놀이터에서 지킬 예절을 약속해 보세요.

앞으로 놀이 기구를 혼자만 타지 않을게요.
친구에게 양보할게요.

8. 차례를 지켜야 해요 • 179

5 버스 예절

1. 버스에서 지켜야 하는 예절에 대해 이야기해 봅시다.

1) 그림을 보고 가리켜 보세요.

멈추다

차도

새치기하다

한 줄로 서다

손잡이를 잡다

노약자석

하차 벨을 누르다

하차 벨

노약자석

✏ 멈추다, 차도, 한 줄로 서다,
새치기하다, 손잡이를 잡다,
노약자석, 하차 벨을 누르다

📚 -지 말고

2) 버스 예절 안내문입니다. 읽어 보세요.

① 버스가 멈출 때까지 기다려요.
② 차도에 내려가지 않아요.
③ 새치기하지 말고 차례를 지키세요.
④ 뒷문으로 타지 말고 앞문으로 타세요.
⑤ 그냥 서 있지 말고 손잡이를 꼭 잡으세요.
⑥ 버스가 움직일 때 자리에서 일어나지 말고 버스가 멈추면 일어나세요.

2. 그림을 보고 〈보기〉에서 알맞은 말을 찾아 써 봅시다.

〈보기〉
앞사람을 밀지 말고 한 줄로 서세요.

①

②

③

새치기를 ＿＿＿＿＿
차례를 지키세요.

뒷문으로 ＿＿＿＿＿
앞문으로 타세요.

그냥 ＿＿＿＿＿
손잡이를 잡으세요.

3. 버스 예절 중에서 무엇을 잘 지키고 있어요? 이야기해 봅시다.

⑥ 음식점 예절

1. 음식점에서 식사할 때 지켜야 하는 예절에 대해 이야기해 봅시다.

1) 그림을 보고 〈보기〉에서 골라 써 보세요.

〈보기〉   돌아다니다   의자에 올라가다   음식을 쏟다
         뜨거운 음식을 만지다   코를 풀다

앗, 뜨거워!

2. 부모님의 말씀에 알맞은 대답을 〈보기〉에서 찾아봅시다.

〈보기〉

뜨거운 음식을 만지지 않을게요.　　음식을 쏟지 않을게요.

의자 위에 올라가지 않을게요.　　돌아다니지 않을게요.

①

아비가일, 돌아다니지
말고 자리에
앉는 게 어때?

②

저밍, 음식을
쏟지 말고 조심해서
먹어.

③

요우타,
뜨거운 음식을
만지지 마.

④

아이다, 신발을 신고
의자 위에 올라가면
안 돼.

3. 음식점에서 지켜야 하는 예절이 더 있나요? 이야기해 봅시다.

7 학교 아침 방송 듣기

1. 선생님의 말씀을 들어 봅시다. 💿47

1) 선생님이 말씀하신 예절을 잘 지킨 친구에게 ○표 해 보세요.

①

②

③

④

2) 다시 듣고 빈칸에 알맞은 말을 써 보세요.

안녕하세요. 나래초등학교 학생 여러분.

오늘은 버스를 탈 때 지켜야 하는 ① _____ 에 대해 이야기할게요.
먼저 버스가 도착하기 전에 차도에 ② _____ 지 마세요.
차에 부딪힐 수 있어요.
그리고 버스를 탈 때 한 줄로 서서 ③ _____ .
새치기하면 안 돼요. 그리고 버스에서는 꼭 ④ _____ 을/를
잡아야 해요. 그렇지 않으면 버스가 갑자기 멈출 때 넘어질 수 있어요.
우리 모두 버스 예절을 잘 지키는 나래초등학교 학생이 됩시다.

2. 친구들의 행동을 보고 물음에 답해 봅시다.

1) 친구들이 어디에서 어떤 예절을 잘 지키지 않았어요? 이야기해 보세요.

① 하미

② 아이다

③ 리암

④ 요우타

2) 친구들에게 어떤 말을 해 주어야 할지 쓰고 말해 봅시다.

〈보기〉
① 하미, 할아버지께서 식사를 시작하신 후에 먹어야 해.

② 아이다, _____ _____ .

③ 리암, _____ _____ .

④ 요우타, _____ _____ .

8 이야기 읽기

1. 하미의 이야기를 읽고 물음에 답해 봅시다.

1) 읽어 보세요.

지난주 토요일 저녁에 가족과 같이 음식점에 갔어요.

저는 음식점에 들어가서 조용히 자리에 앉았어요.

그런데 옆자리의 아이는 이리저리 돌아다녔어요.

뜨거운 음식 때문에 위험해 보였어요.

다른 아이는 신발을 신고 의자 위에 올라갔어요.

아이의 엄마는 아이들에게 이렇게 말했어요.

"_____"

엄마의 말을 듣고 아이들은 조용해졌어요.

예절을 지키지 않는 사람들 때문에 저는 기분이 조금 나빴어요.

공공장소에서 모두 예절을 잘 지켰으면 좋겠어요.

2) 하미는 음식점에 가서 어떻게 했어요?

3) 옆자리 아이들은 음식점에서 어떻게 했어요?

4) 엄마는 아이들에게 무슨 말을 했을까요?

2. 질서나 예절을 지키지 않는 사람 때문에 기분 나쁜 적이 있었나요?
친구들처럼 이야기해 봅시다.

질서나 예절을 지키지 않는
친구 때문에 기분이
나쁜 적이 있었어요?

놀이터에서 놀 때
친구가 혼자만 계속 그네를 타서
기분이 나빴어요.

버스 탈 때
뒷사람이 줄을 안 서고 새치기를
해서 기분이 나빴어요.

기분이 나빴어요.

나

1. 그림을 보고 대답해 봅시다.

1) 예절을 잘 지킨 친구는 누구예요? 무엇을 잘 했어요?

2) 예절을 안 지킨 친구는 누구예요? 어떻게 하면 좋을까요?

2. '내가 예절왕' 빙고 놀이를 해 봅시다. 붙임 딱지

〈놀이 방법〉

① 빙고판에 9개의 붙임 딱지를 붙어 보세요.
② 자신이 붙인 붙임 딱지 속 친구들이 어떤 예절을 지켰는지, 어떤 예절을 안 지켰는지 하나씩 말해 보세요.
③ 친구들의 이야기를 듣고 가로, 세로, 대각선 모두 완성한 사람은 '내가 예절왕'이라고 크게 외치세요.

[붙임 딱지]	[붙임 딱지]	[붙임 딱지]
[붙임 딱지]	[붙임 딱지]	[붙임 딱지]
[붙임 딱지]	[붙임 딱지]	[붙임 딱지]

⑩ 생각 넓히기

1. 다음은 세계 여러 나라의 식사 예절입니다. 읽어 봅시다.

한국

- 숟가락과 젓가락을 한 손에 들고 먹지 않아요.
- 어른이 식사를 시작한 후에 먹어요.

미국

- 식사할 때 포크와 나이프를 사용해요.
- 식사할 때 소리를 내지 않아요.

일본

- 식사할 때 젓가락을 사용해요.
- 밥그릇을 들고 먹어도 돼요.
- "잘 먹겠습니다."라고 말하고 식사를 시작해요.

인도

- 식사할 때 손을 사용해도 돼요.
- 음식을 먹기 전에 꼭 손을 씻어야 해요.
- 식사할 때는 반드시 오른손을 사용해야 해요.

2. 어느 나라의 식사 예절입니까? 나라 이름을 써 봅시다.

저는 밥 먹을 때 포크와
나이프를 사용해요.
먹을 때 보통 소리를 내지 않고
조용히 먹어요.

① _____

우리 나라 사람들은 식사할 때
꼭 오른손을 써야 해요.
그리고 식사하기 전에
손을 깨끗하게 씻어야 해요.

② _____

우리는 밥을 먹기 전에 "잘 먹겠습니다."라고
꼭 인사를 해야 해요.
한국과 달리 밥그릇을 들고 먹어도 되고
젓가락으로 밥을 먹어도 돼요.

③ _____

3. 여러분이 알고 있는 부모님 나라의 식사 예절은 무엇입니까?

저는 _____에서 왔어요. _____에도

식사 예절이 있어요. 식사할 때 _____어야 해요.

그리고 _____

_____ .

듣기 지문

1단원 • 친구와 인사해요

1. 친구와 인사하기

Track 1

① 아이다: 아비가일, 안녕!
　아비가일: 아이다, 안녕!
② 성우: 잘 가!
　요우타: 내일 보자.
③ 저밍: 나는 저밍이야. 만나서 반가워.
　빈센트: 나는 빈센트야. 만나서 반가워.
④ 성우: 내가 도와줄 수 있어.
　하미: 고마워.
⑤ 지민: 괜찮아?
　아이다: 괜찮아.
⑥ 저밍: 축하해.
　리암: 고마워.

Track 2

우리 우리 친구들 안녕 안녕.
친구들과 인사해 반가워.

2. 새 짝

Track 3

① 저밍: 지민이는 머리카락이 길어요.
② 지민: 저밍은 키가 크고 다리가 길어요.
③ 요우타: 하미는 머리카락이 짧아요.
④ 하미: 요우타는 키가 작고 힘이 세요.

6. 친구 칭찬하기

Track 4

빈센트: 안녕하세요. 빈센트예요.
선생님: 빈센트는 언제 한국에 왔어요?
빈센트: 저는 2월에 왔어요.
선생님: 빈센트는 2월에 한국에 왔어요. 그리
고 3개월이 지났어요. 빈센트는 한국
에 온 지 3개월이 됐어요.
빈센트: 네. 한국에 온 지 3개월이 됐어요.
선생님: 그런데도 한국어를 참 잘해요. 만나
서 반가워요.

2단원 • 친척을 소개해요

2. 가족사진

Track 5

하미가 수영을 합니다.
아버지께서 수영을 하십니다.
하미가 웃습니다.
어머니께서 웃으십니다.

동생이 방에 있습니다.
어머니께서 방에 계십니다.
동생이 낮잠을 잡니다.
어머니께서 낮잠을 주무십니다.

3. 가족 소개

Track 6

우리 가족이에요.
아버지께서는 회사에 다니세요.
어머니께서는 선생님이세요.
동생은 유치원에 다녀요.
저는 하미예요.
우리 가족은 서로 사랑해요.

5. 가족 안부

Track 7

지민: 엄마, 언제 오세요?

엄마: 응, 내일 집에 가. 아빠 오셨어?

지민: 네.

엄마: 아빠 뭐 하시니?

지민: 지금 샤워하고 계세요.

엄마: 동생들은?

지민: 한 명은 텔레비전 보고 있고, 한 명은 밥 먹고 있어요.

엄마: 너는 밥 먹었니?

지민: 네, 다 먹었어요. 지금 숙제하고 있어요. 엄마, 보고 싶어요.

엄마: 나도 보고 싶어. 내일 빨리 갈게.

Track 8

① 아빠는 지금 뭐 하세요?

② 지민이 동생들은 뭐 해요?

③ 지민이는 뭐 해요?

8. 효도 이용권 만들기

Track 9

아이다: 엄마, 5월 8일이 어버이날이에요. 그래서 오늘 학교에서 효도 이용권을 만들었어요.

엄마: 효도 이용권? 어디 보자. 심부름 이용권, 설거지 이용권, 일찍 일어나기 이용권……. 야, 진짜 좋다. 고마워, 아이다.

10. 생각 넓히기

Track 10

할머니, 안녕히 주무셨어요?

잘 먹겠습니다.

아빠, 안녕히 주무세요.

3단원 • 학교에서 공부할 거예요

1. 시간표

Track 11

저밍: 오늘 무슨 요일이야?

성우: 화요일이야.

저밍: 오늘 국어를 배운 후에 뭐 해?

성우: 수학을 배워.

저밍: 수요일에 통합 교과를 배우기 전에 뭐 해?

성우: 국어를 해.

2. 학교 준비물

Track 12

내일 운동장에서 놀이를 할 거예요. 운동복을 입고 오세요. 그리고 줄넘기 줄도 가져오세요. 수학 덧셈과 뺄셈 문제를 풀어 오세요.

3. 통합 교과 시간

Track 13

선생님: 책상 위에 여러 가지 악기가 있어요. 악기를 쳐 보세요.

하미: 이것은 짝짝짝 소리가 나요.

선생님: 네, 하미가 친 것은 캐스터네츠예요.

성우: 이것은 찰찰찰 소리가 나요.

선생님: 네, 성우가 친 것은 탬버린이에요.

아이다: 이것은 칭칭칭 소리가 나요.

선생님: 네, 아이다가 친 것은 트라이앵글이에요.

4. 수학 시간

Track 14

선생님: 시계가 지금 몇 시를 가리켜요?

요우타: 7시 30분이에요.

선생님: 요우타는 오늘 저녁 7시 30분에 뭐 할 거예요?

요우타: 오늘 배운 것을 다시 공부할 거예요.

선생님: 아, 복습할 거예요? 예습도 할 거예요?

요우타: 네, 수학을 예습할 거예요.

6. 학교 행사

Track 15

아비가일: 도서관 행사에서 뭐 해요?

선생님: 동화 작가를 만나거나 독서 신문을 만들어요.

아비가일: 둘 다 할 수 있어요?

선생님: 아니요. 같은 시간에 같이 해요. 그래서 하나만 할 수 있어요.

Track 16

아비가일: 한글 교실에서 뭐 해요?

선생님: 한글을 쓰거나 그림책을 읽어 줘요.

아비가일: 둘 다 할 수 있어요?

선생님: 아니요. 같은 시간에 같이 해요. 그래서 하나만 할 수 있어요.

8. 알림장과 달력 쓰기

Track 17

요우타: 오늘 숙제가 뭐야?

하미: 수학 익힘책 78쪽부터 81쪽까지 풀어 오기야.

요우타: 내일 준비물 있어?

하미: 응, 읽고 싶은 책을 준비해.

Track 18

우리 학교는 매월 첫 번째 주 월요일에 도서관 행사를 합니다.

7월 6일은 노래 부르기 대회를 하는 날입니다.

우리 반은 매주 수요일에 수학 교실을 합니다.

여름 방학식은 7월 26일입니다.

4단원 · 따뜻한 봄이 좋아요

1. 오늘의 날씨

Track 19

저밍: 엄마, 오늘 날씨가 어때요?

엄마: 지금은 조금 흐려. 오후에는 날씨가 맑을 거야.

3. 여름 놀이

Track 20

선생님: 여름에 무엇을 할 수 있어요?

하미 : 물놀이를 할 수 있어요.

요우타: 맛있는 수박도 먹을 수 있어요.

4. 겨울 놀이

Track 21

요우타 : 눈이 오니까 좋아.

아이다 : 맞아. 눈이 오면 눈사람을 만들 수 있어. 눈이 더 쌓이면 눈썰매를 타러 가자!

5. 좋아하는 계절

Track 22

하미: 엄마, 꽃이 활짝 피었어요. 저는 예쁜 꽃을 볼 수 있어서 봄이 좋아요.

엄마: 엄마는 예쁜 단풍을 구경할 수 있어서 가을이 좋아.

Track 23

3. 하미: 지민아, 안녕. 같이 학교 가자.

지민: 그래. 벌써 여름이야! 더워서 땀이 줄줄 흘러. 하지만 나는 수영을 할 수 있어서 여름이 좋아. 하미야, 넌 어느 계절이 좋아?

하미: 나는 가을이 좋아. 빨갛고 노란 예쁜 단풍을 볼 수 있잖아.

6. 날씨에 따라 주의할 점

Track 24

선생님: 여러분, 요즘 날씨가 어때요?

하미: 아침에는 쌀쌀하고 오후에는 조금 더워요.

선생님: 이럴 때 감기에 잘 걸려요. 아침에 학교에 올 때 겉옷을 꼭 입고 오세요.

학생들: 네.

선생님: 그리고 더울 때는 시원한 물을 자주 마셔요. 집에 돌아가면 손을 깨끗하게 씻고요.

학생들: 네, 선생님.

8. 일기 예보 말하기

Track 25

저밍: 엄마, 잠깐 밖에 나가도 돼요?

엄마: 응, 그런데 비가 오면 쌀쌀하니까 겉옷을 입고 가. 노란 장화도 꼭 신고.

저밍: 네, 그런데 내일도 비가 올까요?

엄마: 글쎄, 일기 예보를 보면 내일 날씨를 알 수 있으니까 이따가 일기 예보를 보자.

9. 이야기 읽기

Track 26

해님과 바람 – 이솝 우화

바람: 나는 힘이 세서 무엇이든 다 할 수 있어.

해: 정말? 힘으로 할 수 없는 것도 있어.

바람: 그게 뭐야?

해: 내가 알려 줄게. 바람아, 우리 시합할까?

바람: 그래, 좋아.

해: 우리 저 사람의 외투를 벗기는 시합을 하자.

바람: 좋아.

해설: 바람이 후 하고 세게 불었어요.

남자: 왜 이렇게 바람이 불지? 너무 추워.

해설: 남자는 외투를 더 꼭 잡았어요. 바람이 더 세게 불었어요. 하지만 남자는 옷을 벗지 않았어요. 이번에는 해님 차례였어요. 해님은 더 쨍쨍 햇볕을 내리쬐었어요.

남자: 정말 더워.

해설: 남자는 땀을 줄줄 흘렸어요. 그리고 마침내 외투를 벗었어요. 바람이 이 시합에서 졌어요. 그 후로 바람은 다시는 힘자랑을 하지 않았어요.

5단원 · 방학에 수영을 배웠어요

1. 방학하는 날

Track 27

선생님: 내일부터 여름 방학이에요. 방학 재미있게 보내세요.

저밍: 언제 학교 와요?

선생님: 8월 27일에 개학하니까 그날 학교에 오세요.

저밍: 겨울에는 방학을 언제 해요?

선생님: 호호호, 벌써 겨울 방학이 궁금해요?

저밍: 네, 그때 중국 할아버지 댁에 갈 거예요.

선생님: 좋겠어요. 겨울 방학은 12월 24일부터 1월 28일까지예요.

5. 방학 여행

Track 28

엄마: 이번 방학에는 제주도로 여행 갈 거야.

아이다: 엄마, 제주도 가기 전에 뭐 준비해요?

엄마: 바다에 가니까 수영복이랑 모자를 준비해.

아이다: 한라산에도 가요?

엄마: 한라산에도 가. 한라산에 갈 때 운동화랑 우산도 가져갈 거야.

6. 겨울 방학에 한 일

Track 29

선생님: 겨울 방학에 무엇을 했어요?

저밍: 저는 친구들과 눈싸움을 했어요.

지민: 저는 할머니 댁에 갔어요.

아비가일: 저는 필리핀에서 할아버지와 친척을 만났어요.

요우타: 저는 한국어를 배웠어요.

성우: 저는 눈썰매를 탔어요.

선생님: 여러분 모두 겨울 방학을 재미있게 보내서 선생님도 좋아요.

6단원 · 떡볶이를 먹어 봤어요

1. 음식과 맛

Track 30

하미: 엄마, 뭐 만드세요?

엄마: 불고기를 만들고 있어.

하미: 불고기는 무슨 맛이에요?

엄마: 짠맛도 나고 단맛도 나. 한번 먹어 봐.

2. 여러 가지 음식

Track 31

아이다: 많이 먹으면 뚱뚱해지는 음식은 치킨이야.

내가 좋아하는 음식은 비빔밥이야.

내가 싫어하는 음식은 생선 구이야.

내가 못 먹는 음식은 삼겹살이야.

3. 음식 먹는 방법

Track 32

하미: 엄마, 삼겹살은 어떻게 먹어요?

엄마: 상추에 고기를 싸서 먹는 거야.

하미: 그럼 만두는요?

엄마: 만두는 간장에 찍어서 먹으면 맛있어.

4. 요리법

Track 33

안녕하세요. 오늘은 삶은 달걀 샌드위치를 만

들 거예요.

먼저 물을 끓여요. 끓인 물에 달걀을 넣고 삶아요. 삶은 달걀을 작게 잘라요.

당근도 작게 잘라 주세요. 달걀, 당근, 설탕, 마요네즈를 섞어 주세요.

빵에 섞은 재료를 발라 주세요. 반으로 자른 빵을 예쁘게 접시에 놓으세요.

자, 이제 맛있게 드세요.

5. 생일에 먹는 음식

Track 34

내일은 제 생일이에요. 내일 우리 집에서 생일 파티가 있어요. 그래서 친구들이 우리 집에 와요.

엄마와 같이 마트에 왔어요. 친구들과 같이 먹을 과자를 샀어요. 같이 마실 주스와 우유도 샀어요. 친구들에게 줄 수첩도 샀어요.

엄마가 내일 요리를 하실 거예요. 엄마가 제 생일에 만들 음식은 미역국과 잡채예요. 피자와 치킨은 살 거예요.

친구들과 같이 할 보드게임도 샀어요. 친구들과 같이 놀 생각을 하니까 정말 신나요.

6. 급식 시간

Track 35

지민: 하미야, 음식이 흘러. 식판을 잘 들어.

하미: 고마워. 음식이 흐르는 줄 몰랐어.

지민: 밥과 국을 받을 때는 식판을 돌려.

하미: 응. 그런데 반찬을 더 먹고 싶을 때는 어떻게 말해?

지민: "반찬 좀 더 주세요."라고 말해.

8. 좋아하는 음식 설명하기

Track 36

제가 좋아하는 음식을 소개할게요. 제가 자주 먹는 음식은 떡볶이예요. 떡볶이에 고추장을 넣어서 조금 매워요. 하지만 우리 엄마는 떡볶이를 만들 때 케첩을 조금 넣어요. 그래서 엄마가 만든 떡볶이는 맵지 않아요. 그리고 떡볶이를 우유와 같이 먹으면 더 맛있어요. 맛있는 떡볶이, 꼭 먹어 보세요.

9. 시 읽기

Track 37

몰래 몰래 먹으면 - 김준범

달콤달콤 초콜릿
엄마 몰래 냠냠

새콤달콤 오렌지 주스
아빠 몰래 꿀꺽꿀꺽

아이 뜨거! 라면도
동생 몰래
후후 불어
후루룩후루룩

아이! 배 아파
꾸르륵꾸르륵

맛있는 건
몰래 말고
다 같이 냠냠

7단원 • 이게 얼마예요?

1. 물건 가격

Track 38

저밍: 아줌마, 이 사탕 얼마예요?
주인: 오백 원이야.

2. 물건을 살 수 있는 곳

Track 39

저밍: 넌 어디에서 아이스크림을 사?
아비가일: 나는 슈퍼마켓에서 아이스크림을 사. 슈퍼마켓이 편의점보다 집에서 가까워.

3. 문구점에서 학용품 사기

Track 40

주인: 어서 오세요.
리암: 안녕하세요. 알림장 두 권 주세요. 얼마예요?
주인: 1000원이에요.
리암: 돈 여기 있어요.

4. 슈퍼마켓에서 물건 사기

Track 41

저밍: 아이스크림 3개 계산해 주세요.
주인: 모두 1500원이에요. 봉지에 넣어 줄까요?
저밍: 네, 봉지에 넣어 주세요.
주인: 여기 거스름돈 500원 있어요. 영수증 줄까요?
저밍: 네, 영수증 주세요. 감사합니다.
주인: 또 오세요.

5. 장난감 고르기

Track 42

아빠: 장난감 하나 골라 봐.
리암: 이 로봇은 멋있지만 색깔이 마음에 안 들어요.
아빠: 그럼 이 자동차는 어때?
리암: 좋아요. 그건 마음에 들어요.

6. 용돈

Track 43

엄마: 아비가일, 이번 주 용돈 3000원이야.

아비가일: 고마워요, 엄마.

엄마: 용돈을 어디에 쓸 거야?

아비가일: 돈을 모아서 하미 생일 선물을 살 거예요.

엄마: 뭘 살 거야?

유키: 하미는 책을 많이 읽는 편이어서 책을 살 거예요.

9. 용돈 기입장 쓰기

Track 44

저는 9월 1일에 용돈을 받았어요. 이번 달에는 10000원을 받았어요. 9월 5일에 하미의 생일 선물을 샀어요. 그래서 3000원을 썼어요. 9월 7일에는 공책을 샀어요. 공책은 한 권에 1000원이었어요. 9월 10일에는 친구와 떡볶이를 사 먹었어요. 그래서 2000원을 더 썼어요. 9월 12일에 수업이 끝나고 혼자 햄버거를 사 먹었어요. 이제 용돈이 1000원밖에 안 남았어요.

8단원 • 차례를 지켜야 해요

1. 식사 예절

Track 45

하미: 식사할 때 지켜야 하는 예절이 있어요?

선생님: 어른이 식사를 시작할 때까지 기다려야 해요.

하미: 또 다른 예절은요?

선생님: 밥을 먹을 때 소리를 내지 않아야 해요.

2. 친구 집 방문 예절

Track 46

아이다: 엄마, 요우타 집에서 놀다 올게요.

엄마: 그래. 그런데 양말을 안 신었어? 친구

집에 갈 때는 양말을 신는 게 좋아.

아이다: 네, 알겠어요.

7. 학교 아침 방송 듣기

Track 47

안녕하세요. 나래초등학교 학생 여러분.

오늘은 버스를 탈 때 지켜야 하는 예절에 대해 이야기할게요.

먼저 버스가 도착하기 전에 차도에 내려가지 마세요. 차에 부딪힐 수 있어요.

그리고 버스를 탈 때 한 줄로 서서 차례를 지켜요. 새치기하면 안 돼요.

그리고 버스에서는 꼭 손잡이를 잡아야 해요. 그렇지 않으면 버스가 갑자기 멈출 때 넘어질 수 있어요.

우리 모두 버스 예절을 잘 지키는 나래초등학교 학생이 됩시다.

정답

1단원 • 친구와 인사해요

2. 새 짝

1. 3) 길다, 짧다, 크다, 작다

2.

3. 친구에게 부탁하기

2. 1) • 요우타가 성우에게 공을 던져요.

　　• 아비가일이 언니에게 뛰어가요.

　2) • 리암이 그네를 밀어 주었습니다.

　　• 아이다가 목걸이를 걸어 주었습니다.

3. 찍어 줘.

4. 친구 집

2. 1) 넓다, 깨끗하다, 많다

　2) 가도 돼, 다녀와도 돼요

5. 친한 친구

2. ① 짧게 ② 크게 ③ 친절하게

6. 친구 칭찬하기

2. ① 이 책을 읽은 지 일주일이 됐어요.

　② 버스가 출발한 지 1시간이 됐어요.

3. 1) ① 한국어 배운 지 얼마나 됐어? 한국어 참 잘한다.

　　한국어 배운 지 3개월 됐어. 칭찬해 줘서 고마워.

　② 태권도 배운 지 얼마나 됐어? 태권도 참 잘한다.

　　태권도 배운 지 2개월 됐어. 칭찬해 줘서 고마워.

　③ 피아노 배운 지 얼마나 됐어? 피아노 참 잘한다.

　　피아노 배운 지 1년 됐어. 칭찬해 줘서 고마워.

2단원 • 친척을 소개해요

1. 우리 가족

2.

2. 가족사진

2.

3. 가족 소개

2.

4. 가족 행사

1. 2) 졸업, 입학, 생신, 생신

2.

6. 친척

1. 2)

7. 가족과 한 일 쓰기

1. 2) 이모, 아버지, 형, 나

2. 께서, 주셨어요, 께서, 웃으셨어요

10. 생각 넓히기

1. 1) ①, ②, ④, ⑤, ③

2. ① 진지를, 드시고(잡수시고) 계세요

　② 께, 드렸어요

　③ 께, 드려요

---

1. 시간표

1. 1) 수학, 국어

2. 학교 준비물

2. ① ○ ② × ③ ○ ④ ×

3. ① 입고 오기 ② 가져오기

3. 통합 교과 시간

1. 1) 친, 친, 트라이앵글이에요.

　2) 난, 난, 트라이앵글이에요.

2.

5. 학교 수업

2.

3. 2) 배웠습니다, 숙제는, 안전한 생활, 통합 수업, 만들 것입니다

6. 학교 행사

2.

7. 이야기 읽기

2. ① 등교하기 ② 준비하기
　③ 색종이, 가위, 풀 준비하기

8. 알림장과 달력 쓰기

1. 3) ① 숙제, 풀어 오기
　　　② 읽고 싶은 책 (준비하기)

2. 2)

9. 안전한 생활

2. 2)

10. 생각 넓히기

1. 2)

2. 2) 콩, 밀가루

4단원 • 따뜻한 봄이 좋아요

1. 오늘의 날씨

2.

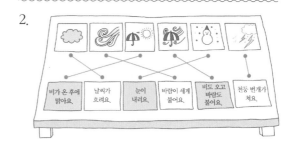

2. 날씨와 옷차림

1. 2)

2.

3. 여름 놀이

2. ①, ③

4. 겨울 놀이

2. ① 겨울 방학이 되면 스케이트를 타러 갈 거
예요.
겨울 방학이 되면 눈썰매를 타러 갈 거예요.
② 눈이 오면 눈싸움을 할 거예요.
눈이 오면 눈썰매를 탈 거예요.
눈이 오면 눈사람을 만들 거예요.
3. 1) 겨울 방학이 되면 할아버지 집에 갈 거예요.
2) 아빠랑 할아버지랑 같이 얼음낚시를 할
거예요.

5. 좋아하는 계절

2. ① 날씨가 추워서 손이 꽁꽁 얼었어요.
② 단풍이 들어서 단풍 구경을 갔어요.
3. 1) ②
2) ③

6. 날씨에 따라 주의할 점

3. ① 겉옷을 입고 오세요.
② 시원한 물을 자주 마셔요.
③ 손을 깨끗하게 씻어요.

7. 그림일기 읽기

1. 비(비가 옴.), 맑음, 바람(바람이 강함.)
2. 오늘은 눈이 많이 내렸다. 날씨가 추워서 두
꺼운 외투를 입었다. 따뜻한 모자를 쓰고 장갑
도 꼈다. 친구들과 같이 눈싸움도 했다. 눈이
더 쌓이면 눈썰매도 타러 가야겠다.

8. 일기 예보 말하기

1. 1) ②
2) ③

3) 일기 예보를 봐요.

9. 이야기 읽기

2. 후, 꼭, 쨍쨍, 줄줄

10. 생각 넓히기

1.
 준비 운동을 해요. 물놀이 신발을 신어요. 깊은 곳에 들어가지 않아요.
 바위나 돌을 조심해요. 몸이 추워지면 빨리 물에서 나와요. 어른들이 볼 수 있는 곳에서 놀아요.

5단원 · 방학에 수영을 배웠어요

1. 방학하는 날

1. 1) 여름 방학, 개학, 겨울 방학
2) 27일, 하니까
2. ① 이니까 ② 재미있으니까 ③ 더우니까
④ 추우니까 겨울 방학을 해요

2. 여름 방학

2.
① 수영장에서 다쳤을 때 ⎯⎯ 치료실
② 가족을 잃어버렸을 때 ⎯⎯ 만남의 광장
③ 배가 고플 때 ⎯⎯ 음식점

3. 방학 숙제

2. ① 영화나 연극을   ② 바다나 산
③ 기차나 비행기를

4. 방학 규칙

2. ① 눈이 오지 않아요
   ② 읽지 않아요
   ③ 많지 않아요.

3. 1) ○, ×, ×, ○, ×

5. 방학 여행

1. 1) 반바지, 수영복, 양말, 모자, 우산, 휴지,
   운동화, 속옷, 휴대 전화
2. 2) ① 수영복이랑 모자를
   ② 운동화랑 우산을

6. 겨울 방학에 한 일

1. 1) ② 에 갔어요   ③ 를 만났어요
   ④ 를 배웠어요   ⑤ 를 탔어요
2. ① 갔다 ② 배웠다 ③ 탔다 ④ 만났다

7. 방학 일기

2. 에 갔다, 을 때, 으니까

8. 보고서 읽기

1. 예쁘게 잘리지 않아서, 바르는 것이, 만드니까

6단원 · 떡볶이를 먹어 봤어요

---

1. 음식과 맛

2. 1) 약은 써요.
   도넛은 달아요.
   레몬은 시어요(셔요).
   떡볶이는 매워요.
   김치찌개는 짜고 매워요.
   햄은 짜요.

2. 여러 가지 음식

2. ① 급식 시간에 자주 나오는 음식은 불고기
   예요.
   ② 엄마가 잘 만드시는 음식은 잡채예요.
   ③ 빵집에서 파는 것은 식빵이에요.
   ④ 슈퍼마켓에서 살 수 있는 것은 라면이에요.
   ⑤ 내가 안 좋아하는 음식은 삼겹살이에요.

3. 음식 먹는 방법

2.

① 비비다
달걀과 밥을
비벼서
먹어요.

② 바르다
빵에 버터를
발라서
먹어요.

③ 싸다
삼겹살을 상추에
싸서
먹어요.

④ 찍다
초밥을 간장에
찍어서
먹어요.

⑤ 뿌리다
피자에
치즈 가루를
뿌려서
먹어요.

4. 요리법

2. ① 끓여요   ② 삶아요
   ③ 잘라요   ④ 잘라요
   ⑤ 섞어요
3. ① 끓여요   ② 볶아요
   ③ 구워요   ④ 삶아요

5. 생일에 먹는 음식

2. 1) 과자, 주스
   2) 수첩
   3) 미역국, 잡채
   4) 보드게임

6. 급식 시간

2. ① 들
   ② 흘러요
   ③ 돌려요
   ⑤ 주세요, 주세요

7. 놀면서 말하기

2. ① 약과 커피는 써요.

② 떡볶이와 김치찌개는 매워요.

② 라면과 된장찌개는 끓여서 먹어요.

④ 비빔밥과 카레는 비벼서 먹어요.

8. 좋아하는 음식 설명하기

1. 1) ③

2) ②

9. 시 읽기

2. 1) ① 냠냠 ② 꿀꺽꿀꺽 ③ 후루룩후루룩
④ 꾸르륵꾸르륵

2) 냠냠, 꿀꺽꿀꺽, 후후, 후루룩후루룩, 꾸르륵꾸르륵

10. 생각 넓히기

2. ① 추석 ② 설날 ③ 동지 ④ 생일

7단원 • 이게 얼마예요?

1. 물건 가격

2. ① 육백 원   ② 구백 원
③ 이천 원   ④ 팔천 원
⑤ 삼만 오천 원

2. 물건을 살 수 있는 곳

2. ① 편의점이 슈퍼마켓보다 집에서 가까워요.
② 편의점이 슈퍼마켓보다 늦게까지 해요.
③ 시장이 슈퍼마켓보다 물건값이 싸요.
④ 백화점이 시장보다 물건값이 비싸요.

3. 문구점에서 학용품 사기

2. ① 주인: 어서 오세요.
오딜: 빨간 색연필 2자루 주세요. 얼마예요?
주인: 모두 1000원이에요.
오딜: 돈 여기 있어요.

② 주인: 어서 오세요.
오딜: 흰색 도화지 3장 주세요. 얼마예요?
주인: 모두 600원이에요.
오딜: 돈 여기 있어요.

③ 주인: 어서 오세요.
오딜: 12색 물감 주세요. 얼마예요?
주인: 4500원이에요.
오딜: 돈 여기 있어요.

④ 주인: 어서 오세요.
오딜: 실내화 1켤레 주세요. 얼마예요?
주인: 8000원이에요.
오딜: 돈 여기 있어요.

4. 슈퍼마켓에서 물건 사기

3. 1) ① 주인: 어서 오세요.
손님: 안녕하세요.
② 손님: 오렌지 주스 있어요?
주인: 네, 저쪽에 오렌지 주스가 있어요.
③ 손님: 오렌지 주스 1병에 얼마예요?
주인: 1병에 1000원이에요.
④ 손님: 오렌지 주스 2병 계산해 주세요.
주인: 네, 모두 2000원이에요.
⑤ 주인: 봉지에 넣어 드릴까요?
손님: 네, 봉지에 넣어 주세요.
⑥ 손님: 여기 5000원 있어요.
주인: 여기 거스름돈 3000원 있어요.
⑦ 손님: 안녕히 계세요.
주인: 안녕히 가세요. 또 오세요.

5. 장난감 고르기

2. ① 모양이 다양하지만 크기가 작아요.

② 작지만 내가 좋아하는 색깔이에요.

③ 멋있지만 너무 커요.

④ 예쁘지만 조금 비싸요.

6. 용돈

3. 1) ②

   2) ③

7. 심부름 쪽지 읽기

1. 2) ①, ④

8. 알뜰 시장 놀이

1. 2) ① 네 ② 아니요 ③ 네 ④ 네

9. 용돈 기입장 쓰기

1. ① 용돈 ② 10000원 ③ 3000원 ④ 떡볶이
   ⑤ 햄버거

10. 생각 넓히기

2. ① 채소, 곡식 ② 생선, 조개 ③ 꽃 ④ 옷

8단원 • 차례를 지켜야 해요

1. 식사 예절

2.

밥 먹기 전에 손을 씻어야 해요. 음식을 뒤적거리지 않아야 해요. 음식을 골고루 먹어야 해요. 다 먹은 후에 감사 인사를 해야 해요.

3. ① 음식을 골고루 먹어야 해.

   ② 어른이 식사를 시작할 때까지 기다려야 해.

   ③ 밥 먹을 때 소리를 내지 않아야 해.

2. 친구 집 방문 예절

2. 2) ① ☹ ② ☺ ③ ☺ ④ ☺ ⑤ ☺

3. 공공장소

2. 1) ① 음식점 ② 기차역 ③ 도서관 ④ 공항
      ⑤ 버스 정류장

   2) ① × ② ○ ③ × ④ ○

4. 놀이터 예절

2. 1) ① 네, 미끄럼틀에서 거꾸로 올라가지 않
         을게요.(계단으로 올라갈게요.)

      ② 네, 벽에 낙서하지 않을게요.

      ③ 네, 친구와 싸우지 않을게요.(사이좋게
         지낼게요.)

      ④ 네, 혼자만 타지 않을게요. 친구에게
         양보할게요.

5. 버스 예절

2. ① 하지 말고 ② 타지 말고 ③ 서 있지 말고

6. 음식점 예절

1. 1) 돌아다니다, 의자에 올라가다, 음식을 쏟
      다, 뜨거운 음식을 만지다, 코를 풀다

2. ① 돌아다니지 않을게요.

   ② 음식을 쏟지 않을게요.

   ③ 뜨거운 음식을 만지지 않을게요.

   ④ 의자 위에 올라가지 않을게요.

7. 학교 아침 방송 듣기

1. 1) ②, ④

   2) ① 예절   ② 내려가
      ③ 차례를 지켜야 해요.   ④ 손잡이를

8. 이야기 읽기

1. 2) 음식점에 들어가서 조용히 자리에 앉았

어요.

3) 음식점에서 이리저리 돌아다녔어요. 신발
을 신고 의자 위에 올라갔어요.

4) 돌아다니지 말고 자리에 앉아.
신발을 신고 의자 위에 올라가지 마.

9. 게임하며 말하기

1. 1) 저밍, 아비가일
   2) 성우, 리암, 요우타, 하미

10. 생각 넓히기

2. ① 미국 ② 인도 ③ 일본

문법 색인

어휘 색인